Como falar, COMO OUVIR

Copyright © 1983 Mortimer Adler
Publicado em acordo com o editor original, Simon & Schuster,
uma editora da Simon & Schuster, Inc.
Copyright da edição brasileira © 2013 É Realizações
Título original: *How to speak, how to listen*

Editor
Edson Manoel de Oliveira Filho
Produção editorial, capa e projeto gráfico
É Realizações Editora
Preparação de texto
Fernanda Marcelino
Revisão
Geisa Mathias de Oliveira

Reservados todos os direitos desta obra. Proibida toda e qualquer reprodução desta edição por qualquer meio ou forma, seja ela eletrônica ou mecânica, fotocópia, gravação ou qualquer outro meio de reprodução, sem permissão expressa do editor.

Dados Internacionais de Catalogação na Publicação (CIP)
(Câmara Brasileira do Livro, SP, Brasil)

Adler, Mortimer J., 1902-2001.
    Como falar, como ouvir / Mortimer J. Adler; tradução de Hugo Langone. –
1. ed. – São Paulo: É Realizações, 2013.   (Coleção Educação Clássica)

    Título original: How to speak, how to listen.
    ISBN 978-85-8033-142-4

    1. Comunicação oral 2. Fala 3. Significado (Filosofia) I. Título.

13-07067   CDD-302.2242

Índices para catálogo sistemático:
1. Fala : Comunicação   302.2242

É Realizações Editora, Livraria e Distribuidora Eireli
Rua França Pinto, 498 · São Paulo SP · 04016-002
Telefone: (5511) 5572 5363
atendimento@erealizacoes.com.br · www.erealizacoes.com.br

Este livro foi impresso pela Gráfica Assahi, em junho de 2023. Os tipos são da família Weiss BT, Perpetua Titling MT e BernhardMod BT. O papel do miolo é o Lux Cream LD 70 g., e o da capa, Ningbo C2 250 g.

Mortimer J. Adler

Tradução de Hugo Langone

5ª impressão

*Para
Arthur A. Houghton Jr.,
que se deleita com o interrupto
discurso do bom colóquio.*

SUMÁRIO

PRIMEIRA PARTE: PRÓLOGO

Capítulo I. As habilidades inatas 11
Capítulo II. O solitário e o social 19

SEGUNDA PARTE: DISCURSO ININTERRUPTO

Capítulo III. "Isso é pura retórica!" 27
Capítulo IV. O "papo de vendedor" e outras formas de discurso persuasivo 35
Capítulo V. Preleções e outras formas de discurso instrutivo 51
Capítulo VI. Preparando e apresentando um discurso 67

TERCEIRA PARTE: ESCUTA SILENCIOSA

Capítulo VII. Com o ouvido da mente 81
Capítulo VIII. Escrevendo durante e após a escuta 93

QUARTA PARTE: CONVERSA DE MÃO DUPLA

Capítulo IX. Sessões de perguntas e respostas: fóruns 105
Capítulo X. A diversidade de colóquios 115
Capítulo XI. Como tornar um colóquio proveitoso e agradável 123
Capítulo XII. A convergência das mentes 141
Capítulo XIII. Seminários: ensinando e aprendendo através do debate 149

QUINTA PARTE: EPÍLOGO

Capítulo XIV. O colóquio na vida humana 161

APÊNDICES

Apêndice I. Oração em Memória de Harvey Cushing 177
Apêndice II. Os doze dias do Seminário Executivo do Aspen Institute 201
Apêndice III. Seminários para jovens 233

Primeira parte

Prólogo

CAPÍTULO I
As habilidades inatas

1

Como fazer contato com a mente de alguém? E de que maneira esse alguém deve reagir ao seu esforço?

Às vezes, isso se dá através de choro, expressões faciais, gestos ou outros sinais corpóreos, mas em geral é através da linguagem: por um lado, da escrita e da fala; por outro, da leitura e da escuta.

Esses quatro usos da linguagem se agrupam em dois pares paralelos. A escrita e a leitura estão unidas, o que também ocorre com a fala e a escuta. Os membros de cada par são obviamente complementares. A escrita de nada serve se não for lida, e um grito se perde ao vento se o que é dito não encontra ouvinte.

Todos reconhecem que algumas pessoas conseguem escrever melhor do que outras; elas têm mais habilidade para isso, seja por causa de seu talento, de seu treinamento ou de ambos. Porém, até mesmo a escrita mais habilidosa se mostra infrutífera nas mãos de leitores inábeis. Todos compreendemos que a capacidade de ler exige prática e reconhecemos que alguns têm muito mais habilidade para a leitura do que outros.

O mesmo parece se aplicar à fala e à escuta. Alguns indivíduos podem ter dons naturais que permitem que se tornem oradores melhores do que outros, mas o treino é necessário para que esse talento alcance seu esplendor. Da mesma forma, a habilidade de ouvir pode ser tanto um talento natural quanto algo adquirido por treinamento.

Quatro ações distintas estão envolvidas no processo pelo qual uma mente humana alcança outra e com ela faz contato, e é preciso habilidade em cada uma delas para tornar esse processo eficaz. Quantas dessas habilidades você aprendeu na escola? E quantas delas seus filhos estão aprendendo?

Sua resposta imediata provavelmente será a de que você aprendeu a ler e a escrever, assim como eles. Você pode dizer ainda, sem hesitar, que em sua opinião esse treinamento recebido não é realizado como deveria, mas que ao menos algum esforço é feito nos níveis mais básicos de educação para instruir na leitura e na escrita.

O ensino da escrita ultrapassa o ciclo fundamental, estendendo-se ao ensino médio e até aos primeiros anos de universidade. Porém, o ensino da leitura quase nunca vai além dos níveis básicos. Isso deveria ocorrer, é claro, porque a habilidade elementar de leitura é totalmente inadequada à leitura dos livros mais dignos de serem lidos. Foi por isso que, há quarenta anos, escrevi *Como Ler Livros*,[1] a fim de oferecer um nível de instrução na arte da leitura que vai muito além do básico – e que, em grande parte, não se faz presente em nossas escolas e universidades.

E quanto ao ensino da locução? Duvido que alguém se lembre de tê-la aprendido na mesma época em que recebia, no ciclo fundamental, algum treinamento de escrita e de leitura. Com exceção de certos cursos especiais sobre a chamada "oratória", assim como da assistência dada àqueles que têm problemas de fala, os quais podem ser encontrados em algumas instituições de ensino médio e universitário, não existe qualquer instrução acerca do discurso – de sua arte geral – nos programas de estudo.

E a escuta? Será que em algum lugar alguém já aprendeu a ouvir? É extremamente espantosa a crença geral de que ouvir é um dom natural que não exige treinamento. É notável que nenhum esforço seja feito para ajudar as pessoas a escutarem bem, ao menos bem o suficiente para colocar um fim ao ciclo e fazer do discurso um meio eficaz de comunicação.

O que torna tudo isso tão espantoso e notável é o fato de a fala e a escuta, duas habilidades aparentemente inatas, serem muito mais difíceis de ensinar e assimilar do que as habilidades, paralelas, da escrita e da leitura. Acredito ser capaz de explicar por que isso acontece, o que farei agora.

São abundantes e indignadas as reclamações sobre a qualidade da escrita e da leitura de nossos estudantes colegiais e universitários. Ao mesmo tempo, são

---

[1] Mortimer J. Adler e Charles van Doren, *Como Ler Livros*. Trad. Edward Horst Wolff e Pedro Sette-Câmara. São Paulo, É Realizações, 2010. (N. E.)

poucas, se é que existem, as reclamações sobre a qualidade de sua fala e escuta. Porém, independentemente do baixo nível atual de escrita e leitura entre os agraciados com doze ou mais anos de ensino, é muito menor o nível da fala da maioria das pessoas, sendo menor ainda o da escuta.

2

Nos séculos que antecederam Gutenberg e o prelo, falar e ouvir desempenhavam um papel muito maior na educação do que escrever e ler. Isso se dava porque, na falta do papel impresso e com livros disponíveis somente para muito poucos, aqueles que possuíam algum tipo de instrução – seja através de educadores particulares, das academias do mundo antigo e das universidades medievais – aprendiam ouvindo o que seus professores expunham.

Nas universidades medievais, os professores ofereciam "preleções" num sentido da palavra diferente daquele que em geral é empregado hoje. Apenas o professor possuía a cópia manuscrita do livro que continha o conhecimento e a perspectiva a serem comunicados aos seus alunos. Como a etimologia da palavra "preleção" indica, oferecê-la consistia em ler um texto em voz alta, acompanhado de um comentário contínuo acerca do que era lido. Independentemente do conteúdo ensinado, os alunos o assimilavam através da escuta, e quanto melhores na capacidade de ouvir, maior sua capacidade de aprender.

Nas grandes universidades medievais de Oxford, Cambridge, Paris, Pádua e Colônia, a educação básica envolvia um treinamento nas artes ou habilidades chamadas, pelos antigos, de "artes liberais". Tais artes incluíam, por um lado, várias habilidades no trato com a linguagem e, por outro, no trato com operações e simbolismos matemáticos.[2]

Platão e Aristóteles acreditavam, e aqui as universidades medievais os acompanharam, que as artes da gramática, da retórica e da lógica deveriam ser assimiladas para que a linguagem pudesse ser usada de maneira eficaz na escrita,

---

[2] A este respeito, ver Irmã Miriam Joseph, *O Trivium: As Artes Liberais da Lógica, Gramática e Retórica*. Trad. Henrique Paul Dmyterko. São Paulo, É Realizações, 2011. (N. E.)

na leitura, na oratória e na escuta. As artes exigidas para que fosse possível medir, calcular e estimar eram aritmética, geometria, música e astronomia.

Essas eram as sete artes liberais que o estudante da Idade Média precisava dominar para se tornar bacharel em arte. A palavra "bacharel" não significava, como no inglês, que aqueles eram homens solteiros, ainda não apresentados aos mistérios do casamento. Ao contrário, ela indicava que eles haviam sido introduzidos o bastante no mundo do ensino para poderem continuar os estudos em níveis mais altos da universidade, nas faculdades de Direito, Medicina ou Teologia.

O grau de bacharel representava um certificado de iniciação, o passaporte para um mundo de conhecimento mais avançado. Ele não indicava que aqueles que detinham esse certificado eram versados, mas apenas que haviam se tornado aprendizes competentes, em virtude da aquisição das habilidades do aprendizado – habilidades no uso da linguagem e de outros símbolos.

Hoje em dia, a maioria das pessoas que se valem da expressão "artes liberais" ou se referem à educação liberal não tem a mínima ideia do que as artes liberais um dia foram ou do papel que desempenhavam na educação antiga e medieval dentro do que hoje chamaríamos de educação básica.

Uma das razões para isso está no fato de que, ao longo dos tempos modernos, as artes liberais simplesmente desapareceram dos programas de estudo.

Qualquer um que consulte o currículo das instituições de ensino deste país no século XVIII descobrirá que ele incluía educação gramatical, retórica e lógica, ainda consideradas artes ou habilidades do uso da linguagem – habilidades de escrita, fala e leitura, se não também de escuta.

No final do século XIX, a gramática ainda resistia, mas a retórica e a lógica não mais faziam parte da educação básica. Então, em nosso próprio século a educação gramatical definhou, embora ainda existam vestígios dela num lugar ou noutro.

Como elementos confessos da educação básica, as artes liberais foram substituídas pelo ensino do inglês. É o chamado professor de língua inglesa que fornece as instruções mais elementares de escrita e as instruções mais avançadas de redação. Infelizmente, esta última, na maioria das vezes, enfatiza muito mais aquilo que é chamado de "escrita criativa" do que aquilo que procura transmitir pensamentos – ideias, conhecimentos, perspectivas. Alguns alunos são instruídos para se apresentarem em público, mas isso está aquém da prática de todas as habilidades exigidas para a formulação de um discurso eficaz. Como já afirmei, ninguém recebe qualquer orientação acerca da escuta.

3

Aqueles que reclamam do baixo nível de escrita e leitura apresentado hoje pela maioria dos estudantes colegiais e universitários se equivocam ao pensar que tudo ficaria bem caso essas deficiências fossem remediadas. Essas pessoas acreditam que, se alguém aprendeu a ler e escrever bem, ele[3] certamente saberá como falar e ouvir de maneira correta. Simplesmente não é assim que as coisas funcionam.

A razão disso está no fato de que falar e ouvir são notavelmente diferentes de escrever e ler. A diferença entre eles torna muito mais difícil a assimilação das habilidades que exigem. Permitam-me explicar.

Por alto, parece que a fala e a escuta formam um paralelo perfeito à escrita e à leitura. Ambos os pares envolvem o uso da linguagem, pela qual uma mente se comunica com outra, que responde. Se alguém é capaz de realizar isso satisfatoriamente através da palavra escrita, por que encontraria dificuldades na hora de fazê-lo através da palavra falada? Se alguém é capaz de responder satisfatoriamente à palavra escrita, por que seria incapaz de fazê-lo diante da palavra falada?

A fluidez e a fluência do discurso oral explicam por que as coisas não funcionam dessa forma. É sempre possível consultar novamente aquilo que foi lido, lendo-o mais uma vez e de maneira mais proveitosa. É possível aprimorar infinitamente a leitura, relendo algo sem parar. Eu mesmo fiz isso quando li os grandes clássicos.

---

[3] O leitor deve saber que, ao usar a palavra "homem" ou o pronome masculino "ele", estou me referindo a todos os seres humanos, de ambos os sexos, e não apenas aos do gênero masculino. Nem sempre utilizo "ele" no lugar de "ele e ela", e seu uso em certas frases é determinado tão somente por considerações estilísticas.

Ao escrever, é sempre possível revisar e melhorar o que está na página. Escritor algum precisa entregar um trabalho escrito até que esteja certo de que sua qualidade é a melhor possível. Isso também faz parte de minha própria experiência como autor de livros ou de qualquer outra coisa.

Tanto no caso da habilidade de leitura quanto no da habilidade de escrita, o essencial é saber como melhorar a forma de ler ou escrever. Esse elemento essencial não influencia a habilidade de falar e ouvir almejada, pois falar e ouvir são transitórios e fugazes como as artes cênicas, ao contrário da escrita e da leitura. Essas duas últimas mais se assemelham à pintura e à escultura, cujos resultados são permanentes.

Pense em artes performáticas como a atuação, o balé, a utilização de um instrumento musical ou a regência de uma orquestra. Em todas elas, uma ação não pode ser aprimorada depois de praticada. O artista pode *se basear* nela para executá-la melhor em outra apresentação, mas na hora em que ele ou ela está sobre o palco, seu desempenho deve ser o melhor possível. Quando cai a cortina, tudo está acabado... e não pode ser corrigido.

Exatamente o mesmo se dá com a fala e com a escuta. Não é possível retornar ao que alguém expressou oralmente para compreendê-lo melhor, como acontece com algo escrito. Ao contrário da escrita, o discurso em andamento é em geral incorrigível. Qualquer esforço realizado durante a fala para retificar algo previamente expresso muitas vezes acaba por torná-lo mais confuso do que se as deficiências permanecessem.

Obviamente, um discurso preparado pode passar por correções antes de ser proferido, tal como acontece com um trabalho escrito. O mesmo não se dá com um discurso espontâneo ou improvisado.

A fala pode ser aprimorada posteriormente, mas, na ocasião em que é proferida, qualquer excelência deve ser alcançada ali mesmo. De maneira semelhante, não há meios para melhorar a qualidade de escuta de alguém durante determinada situação. Ela deve ser desempenhada da melhor forma possível naquela mesma hora.

Um escritor pode ao menos esperar que seus leitores demorem o tempo que julgarem necessário para entender a mensagem escrita, mas o orador não pode partilhar dessa mesma esperança. Ele ou ela deve planejar o que será dito para ser compreendido da melhor maneira possível da primeira vez. A extensão temporal da fala e da escuta coincide. Ambas começam e terminam juntas, diferentemente da escrita e da leitura.

4

Todas essas diferenças entre a leitura e a escrita, por um lado, e a escuta e a fala, por outro, podem ser a razão pela qual eu não complementei *Como Ler Livros* com um volume sobre como ouvir. Adiei essa tarefa, que é muito mais difícil, por mais de quarenta anos, mas julgo que já é hora de realizá-la, pois estou completamente ciente dos defeitos da escuta que se manifestam, quase universalmente, por todos os lados.

É possível expor as regras e orientações para uma boa leitura sem incluir as regras e orientações para uma boa escrita. Foi isso o que fiz em *Como Ler Livros*, sob a justificativa de que, na época, eu estava interessado principalmente na leitura dos melhores livros, os quais, é claro, são todos bem escritos.

Quando deixamos o discurso escrito e nos voltamos para o discurso oral, encontramos uma situação diversa. É possível lidar com a escrita e a leitura separadamente; na verdade, é assim que elas são abordadas em nossas escolas. Isso não acontece com a fala e a escuta porque, antes de mais nada, suas formas mais importantes são praticadas durante conversas ou colóquios, vias de mão dupla que nos colocam tanto na posição de falantes quanto na de ouvintes.

É possível falar do discurso ininterrupto de maneira isolada. Sua execução hábil pode ser alcançada sem uma escuta habilidosa. Da mesma forma, é possível abordar a audição silenciosa por si só. Sua execução hábil pode ser alcançada sem uma fala habilidosa. Porém, é impossível demonstrar habilidade num colóquio – seja em conversas ou em debates – sem aprender como falar e escutar da maneira apropriada.

CAPÍTULO II
O SOLITÁRIO E O SOCIAL

1

Nossa relação com a mente dos outros pode se dar tanto solitária quanto socialmente. O tempo livre que destinamos ao lazer também pode ser dividido de forma semelhante. Nós o aproveitamos tanto na completa solidão quanto na companhia, e com a cooperação dos outros.

Aparentemente, o contato de nossas mentes com a mente de outrem sempre acaba sendo um fenômeno social, e não isolado. O uso solitário da mente parece confinado às situações que não envolvem outra pessoa, como quando estudamos os fenômenos da natureza, analisamos as instituições da sociedade em que vivemos, exploramos o passado ou especulamos acerca do futuro.

É claro, porém, que a leitura e a escrita podem ser praticadas de maneira solitária, e é isso o que normalmente acontece – na solidão de um escritório, à escrivaninha, sobre a poltrona. O fato de na escrita estarmos nos dirigindo à mente de outras pessoas não faz dela uma empreitada social. O mesmo se aplica à leitura. Entrar em contato com a mente do escritor através das palavras que ele ou ela colocou no papel não faz do ato de ler um acontecimento social.

Ao contrário da escrita e da leitura, tarefas em geral solitárias, a fala e a escuta são sempre, e exclusivamente, sociais. Elas sempre envolvem confrontos humanos. Geralmente, compreendem a presença física de outras pessoas – o orador falando para ouvintes que estão ali enquanto ele ou ela fala, o ouvinte escutando um falante que lá se encontra. Essa é uma das razões que tornam a fala e a escuta mais complexas do que a escrita e a leitura, assim como mais difíceis de controlar quando se deseja torná-las mais eficazes.

Embora elas sejam sempre sociais, o traço de sociabilidade da fala e da escuta pode ser anulado ou satisfeito. Ele é anulado quando o confronto do falante com o ouvinte leva à supressão de um ou de outro. Quando isso acontece, o que se dá é um discurso ininterrupto ou uma escuta silenciosa. É algo parecido com uma via de mão única, com todo o tráfego fluindo em apenas uma direção.

O mesmo resultado é obtido quando alguém se dirige a uma plateia, quando alguém se reporta a uma diretoria ou a um comitê, quando professores dão aula, quando candidatos a cargos públicos discursam para seus eleitores e quando alguém se põe a falar sem parar num jantar festivo, monopolizando a atenção de todos durante um período. Todas essas são variações da rua de mão única.

A possibilidade de as declarações públicas, palestras e discursos políticos chegarem agora a ouvintes silenciosos amplamente dispersos através da televisão só muda as coisas de uma forma. Quando esses ouvintes se encontram no mesmo local em que está o falante, é sempre possível que a rua de mão única seja aberta para que o tráfico flua em dois sentidos, com o ouvinte silencioso fazendo perguntas ao orador ou tecendo comentários sobre o que foi dito, no intuito de obter alguma resposta. Isso não pode ocorrer quando os ouvintes estão sentados diante da tela da televisão.

Em vez de anulado, o traço social do falar e do ouvir é satisfeito quando o discurso ininterrupto e a escuta silenciosa dão lugar à conversa, ao debate ou ao colóquio. Todas as três palavras que acabei de utilizar – "conversa", "debate" e "colóquio" – têm significados comuns o suficiente para serem quase intercambiáveis. O que todas as três partilham é a via de mão dupla na qual as pessoas se tornam tanto falantes quanto ouvintes, alternando entre um papel e outro.

2

Quando me veio a ideia de escrever este livro, decidi dar-lhe como título *Como Conversar e Como Ouvir*. Logo percebi que, enquanto a conversa exige a fala, o contrário não acontece. Nós falamos para outras pessoas, mas, quando essa fala também exige que escutemos o que elas têm a dizer, travamos uma conversa com elas. Nós dizemos "Quero conversar com você", e não "Quero falar para você".

Em inglês, a palavra "conversa" [*talk*] às vezes é equivocadamente usada como sinônimo de "discurso", como quando alguém diz *I was asked to give a talk*, em vez de *I was asked to give a speech*. A rigor, isso não pode acontecer. É possível realizar uma conversa [*talk*], mas apenas se outra pessoa se comunicar com você. É possível proferir um discurso mesmo se o público ali presente parecer apenas escutar ao que você diz.

A palavra "debate" escapa a esses abusos. Nós sempre a utilizamos para nos referir à via de mão dupla em que se alternam falantes e ouvintes.

A única diferença entre o significado da palavra "debate" e da palavra "colóquio" é que um debate é um colóquio travado com um objetivo definido e até mesmo declarado, sendo também guiado ou controlado de alguma forma para alcançar a meta estabelecida. Enquanto todos os debates são colóquios, nem todos os colóquios são debates, pois muitas vezes se dão sem um objetivo específico e com pouco, ou nenhum, controle ou direção.

"Colóquio" é a palavra que devo usar com maior frequência por ter ela uma aplicação mais ampla, cobrindo, de um lado do espectro, debates altamente premeditados e controlados (incluindo discussões e disputas formais) e, do outro, as conversas mais despropositadas (como os bate-papos de festa e as conversas fiadas).

"Comunicação" é o jargão de que se valem os cientistas sociais e os especialistas em eletrônica que elaboraram "teorias da comunicação". Felizmente, não existe nenhuma "teoria do colóquio", e é por isso que prefiro "colóquio" a "comunicação".

Podemos encontrar diversas formas de comunicação entre os animais irracionais, mas nenhum colóquio. Dizem até que qualquer objeto que envia um sinal para outro, que de alguma forma o recebe e responde, está envolvido numa comunicação. Porém, o envio e o recebimento de sinais não constituem um colóquio, uma conversa ou um debate. Os animais irracionais não conversam uns com os outros; eles não travam debates.

O único aspecto da comunicação que gostaria de preservar em minhas considerações sobre o colóquio é a noção de comunidade que ela envolve. Sem a comunicação não pode existir comunidade alguma. Os seres humanos não podem constituir uma comunidade ou partilhar de uma vida em comum sem se comunicarem uns com os outros.

É por isso que o colóquio, o debate ou a conversa são os modos mais importantes de fala e de escuta. Se o aspecto social da fala e da escuta fosse sempre anulado, como acontece no discurso ininterrupto e na escuta silenciosa, haveria pouca ou nenhuma comunidade entre falantes e ouvintes. Uma comunidade vigorosa e próspera de seres humanos exige que o aspecto social de sua fala e de sua escuta seja satisfeito, e não anulado.

Em diversos pontos, o discurso escrito se alinha com a via de mão dupla do colóquio: em correspondências constantes entre pessoas que escrevem cartas genuinamente respondidas por aquele que as recebeu; e em interações polêmicas, como quando determinado autor contesta uma resenha negativa de seu livro e incita o crítico a responder.

3

As três partes principais deste livro estão em consonância com a divisão tripartite que dei à fala e à escuta. A segunda parte lidará com o discurso ininterrupto; a terceira, com a escuta silenciosa; e a quarta, com o colóquio. Das três, a última é ao mesmo tempo a mais importante e a mais difícil de ser dominada pelos seres humanos.

O colóquio pode ser tanto lúdico quanto dotado de objetivo, podendo também passar de um ao outro. Quando lúdico, pode ser relativamente desatento, como em bate-papos desleixados. Mesmo quando lúdico, ele pode estar atento a ideias e rico em lampejos.

Às vezes o colóquio se mostra relativamente sem controle, como em jantares festivos ou em salões de visita, e às vezes é amplamente controlado, como em negociações empresariais, reuniões de negócios, conferências de todo tipo, debates políticos, disputas acadêmicas, sínodos, concílios ou outros conclaves eclesiásticos e no tipo de ensino, tão raro nos dias de hoje, que consiste em travar debates.

4

Afirmei no início deste capítulo que o uso de nosso tempo livre para o lazer pode ser dividido entre o solitário e o social. Quando feitas por prazer (pela satisfação de um trabalho bem-feito), e não em busca de lucro, a culinária, a carpintaria e a jardinagem são exemplos de atividades solitárias de lazer. O mesmo se pode dizer do ato de escrever, ler, ver fotografias, ouvir música, viajar, observar e, acima de tudo, pensar.

As atividades de lazer preeminentemente sociais incluem todas as práticas de amizade e, sobretudo, o colóquio em suas mais variadas formas. Para mim, travar um bom colóquio – uma conversa ao mesmo tempo agradável e gratificante – é um dos melhores empregos que os seres humanos podem dar ao seu tempo livre. Ele lança mão de muito do que foi adquirido por meio de outras atividades de lazer. É a sua verdadeira realização.

Essa é a razão pela qual é tão importante aos seres humanos enriquecer suas vidas com a habilidade exigida para se ter um bom colóquio, assim como com a vontade e a motivação que os leva a dedicar grande parte de seu tempo livre a ele, substituindo muitas das coisas a que agora recorrem para preencher seu tempo vago.

Segunda parte

Discurso ininterrupto

CAPÍTULO III

"Isso é pura retórica!"

1

Logo após a explosão das primeiras bombas atômicas, o reitor Hutchins, da Universidade de Chicago, instituiu um comitê para a elaboração de uma Constituição Mundial. Entre os destacados membros do grupo, havia dois homens de temperamentos bastante opostos: um era o renomado poeta Giuseppe Antonio Borgese, professor de Literatura Italiana da universidade; o outro era James Landis, o decano calmo, sereno e prático da Faculdade de Direito de Harvard.

Numa ocasião em que estive presente, o professor Borgese se dirigiu aos seus colegas para falar de um assunto que lhe era caro. À medida que se entusiasmava, o tom de sua voz crescia, seus olhos cintilavam e sua linguagem se tornava cada vez mais enérgica, alcançando um crescendo de poesia e paixão que deixou a todos nós enfeitiçados – com exceção de uma pessoa. No instante de silêncio que se seguiu, o decano Landis lançou um olhar impassível para Borgese e disse, em voz baixa: "Isso é pura retórica!". Apontando para Landis um dedo que poderia se passar por uma pistola, Borgese respondeu também de maneira impassível, mas com raiva: "Da próxima vez em que disser isso, sorria!".

O que o decano Landis quis dizer com sua observação? O que isso poderia significar?

Sem dúvida, ele não quis dizer que o discurso de Borgese era ilógico ou continha erros gramaticais, restando-lhe como qualidade expressiva apenas as de caráter retórico. Embora o inglês não fosse sua língua materna, o professor Borgese era um mestre da linguagem. Por ter travado diversas discussões com ele, posso atestar seu talento analítico e o poder de convicção de seu raciocínio. Havia nele o dom de embelezar suas observações com imagens, metáforas, pausas oportunas e repentes interruptos, os quais chamavam nossa atenção para o que ele estava dizendo e nos convenciam do que tentava demonstrar.

Encontra-se aí a força retórica de seu discurso, uma força que quase sempre faltava nas observações igualmente bem formuladas e fundamentadas do decano anglo-saxão da Faculdade de Direito de Harvard. Por que teria ele objetado contra essa qualidade do discurso de seu colega italiano? O que havia de errado? O decano pode ter evitado o uso dos artifícios empregados de maneira tão habilidosa pelo professor Borgese, mas a diferença temperamental de seus estilos não justificava a rejeição do discurso de Borgese como "pura retórica".

Para encarar da melhor forma possível a crítica feita pelo decano Landis ao professor Borgese, devemos interpretá-la não como se quisesse dizer que seu discurso era *pura* retórica, mas que era *mais* retórico do que o exigido pela ocasião.

Borgese não estava sobre um palco tentando convencer um grande público de desconhecidos. Ele estava ao redor de uma mesa com colegas empenhados em se ocupar dos mesmos pressupostos implícitos que todos aceitavam. O problema em questão exigia a análise de uma ampla variedade de fatos e a ponderação de muitos prós e contras.

Isso, na visão do decano Landis, só poderia ser bem feito se as questões pertinentes fossem abordadas de maneira rigorosa e impassível, sem cair em digressões irrelevantes que lançavam mais calor do que luz ao debate. Daí sua seca rejeição a Borgese, a qual na verdade dizia: "Deixe essa retórica desnecessária de lado!".

Ela era desnecessária por ser demais para aquela situação em particular? Ou seria desnecessária por ser sempre inútil? Dificilmente pode ser este último o caso. Acreditar nisso equivale a achar que uma boa gramática e uma boa lógica serão sempre suficientes para que o objetivo em questão seja alcançado. Isso quase nunca acontece. Seria possível dizer também que, para falar com outras pessoas, nunca precisamos pensar em como fazê-las ouvir o que temos a dizer, nem em como agir para influenciar a mente e o coração delas da maneira como queremos.

A gramática, a lógica e a retórica são as três artes que dizem respeito à excelência no uso da linguagem para a expressão de pensamentos e emoções.

As duas primeiras podem bastar quando se deseja colocar pensamentos e emoções no papel, como um memorando particular a ser arquivado para o futuro. Nós não necessitamos das habilidades da retórica para falarmos sozinhos ou para anotarmos algo para uso próprio. São raras, ou inexistentes, as vezes em que precisamos nos convencer de que é necessário escutar e adotar nossos pensamentos e de que nossas opiniões são bem-fundamentadas e devem ser divididas. Porém, se alguma vez precisarmos ter certeza de que estamos no caminho certo, apenas a qualidade gramatical e lógica de nossos solilóquios ou lembretes não será suficiente. Precisamos fazer algo mais para aderirmos à conclusão obtida ou à opinião proposta. Como às vezes dizemos, é necessário "convencer a nós mesmos". E é aí que entra a retórica.

Por mais rara que seja a necessidade da retórica ao falarmos com nós mesmos, ela dificilmente é descartável quando falamos com os outros. A razão disso é óbvia. Quase sempre precisamos persuadi-los não apenas a ouvir o que temos a dizer, mas também a concordar conosco e a pensar e agir à altura.

2

Antiga e honrosa, a arte da retórica é a arte da persuasão. Ao lado da gramática e da lógica, ostentou uma posição importante na educação durante quase 25 séculos. Essa posição foi muito mais relevante na Antiguidade romana e grega, quando uma pessoa instruída deveria ser uma boa oradora, e nos séculos XVII e XVIII, quando era enfatizado não apenas o conteúdo do discurso e do texto, mas também o estilo.

Essas artes simplesmente desapareceram da educação básica dos jovens de hoje. Das três, a retórica é a que sumiu de forma mais impressionante dos primeiros doze anos da educação. Alguns dos que seguem para a universidade podem fazer cursos de oratória, mas a maioria não recebeu treinamento nas habilidades da persuasão.

No decorrer de sua longa história, o ensino da retórica se preocupou majoritariamente, quiçá de forma exclusiva, com a oratória e o estilo.

O estilo no uso da linguagem, estilo que torna a comunicação de um conteúdo mais elegante ou mais eficaz, é uma qualidade comum tanto à palavra escrita quanto à palavra falada. Independentemente de ser sempre desejável ou não, a elegância pode nem sempre fazer da comunicação algo mais eficaz em seu esforço persuasivo.

Como nosso interesse na retórica diz respeito à eficácia do convencimento pela fala, não pode deixar de nos impressionar o fato de, em sua longa história, a retórica ter sido associada de maneira estrita, e talvez até exclusiva, à oratória. Muitos livros sobre o assunto – como, por exemplo, uma obra famosa de Quintiliano, mestre romano nessa arte – trazem no título a palavra "oratória", e não "retórica". Na Antiguidade e no início do mundo moderno, "orador" e "retórico" eram epítetos descritivos intercambiáveis.

E o que há de errado nisso? Simples: a oratória consiste em tentativas de persuadir os outros a agirem de uma forma ou de outra. A habilidade retórica do orador objetiva tão somente um resultado prático, seja uma série de procedimentos a serem adotados, um julgamento de valor a ser feito ou uma atitude a ser tomada com relação a alguém ou a um grupo de pessoas.

Um resultado prático, no entanto, não é o único objetivo da retórica, mesmo em seu uso mais comum ou mais importante. Com frequência nos vemos preocupados em fazer outra pessoa pensar como nós. Isso muitas vezes é tão importante para nós quanto fazer com que outra pessoa aja ou sinta as coisas como gostaríamos. Nesse caso, nosso objetivo retórico é puramente intelectual – quase poderíamos dizer teórico –, e não prático. Quando tentamos empregar nossa habilidade com a retórica para isso, somos persuasores diferentes de quando nos valemos da oratória com fins práticos.

O problema de usar "oratória" para denominar a utilização prática da retórica ao falarmos com os outros é que essa palavra remete muito aos palanques políticos, às salas de tribunal ou às assembleias legislativas. A política não é a única esfera em que os seres humanos necessitam da habilidade retórica. Eles precisam dela nos negócios. Precisam dela em qualquer empreendimento que realizam *com* ou *contra* outras pessoas na tentativa de alcançar algum resultado prático.

Em cada uma dessas áreas, assim como na política, talvez nos peguemos tentando vender algo a alguém. Em todas as suas inúmeras formas, a persuasão prática é a arte da venda. Portanto, adotarei a vil expressão "papo de vendedor" para me referir ao tipo de fala que envolve a persuasão de outros em vista de um resultado prático.

Que nome, então, deveríamos adotar para o outro tipo de fala destinada aos outros, aquele gênero que envolve a persuasão que visa a um resultado puramente intelectual ou prático? Ensino? Instrução? Sim, embora devamos lembrar que instruir assume diferentes formas. Às vezes, o professor não é apenas um falante que se dirige a um público de ouvintes silenciosos. Quando agem assim, os professores ensinam informando, e não perguntando. Ensinar dessa forma é palestrar, e bons palestrantes estão tão preocupados em persuadir seus ouvintes quanto bons vendedores.

Embora a persuasão esteja presente tanto na instrução quanto na venda – a primeira buscando um resultado puramente teórico ou intelectual; a outra, um resultado prático –, julgo ser mais conveniente adotar a seguinte terminologia: ao me referir a todas as tentativas que procuram alcançar um resultado prático, utilizarei a expressão "discurso persuasivo", e ao me referir a todas as tentativas que procuram mudar alguma convicção (sem dizer respeito a ação alguma), a expressão "discurso instrutivo". O que denominei "papo de vendedor" é um discurso persuasivo. A leitura, um discurso instrutivo.

Devo examinar estes dois tipos de discurso ininterrupto antes de levar em conta as variáveis especiais de cada um: o papo de vendedor, no capítulo seguinte; e a palestra, no outro.

3

Termos como "papo de vendedor", "persuasão" e até "retórica" carregam conotações desagradáveis para aqueles que acham que utilizar artifícios de venda, de persuasão ou de retórica é cair na sofística.

Felizmente, quem acredita nisso está equivocado. Seria de fato muito triste se não pudéssemos evitar os sofismas, pois dessa maneira nenhuma pessoa honesta ou moralmente escrupulosa poderia, em sã consciência, se envolver com o processo de persuasão. Ainda assim, a maioria de nós se sente inclinada ou obrigada a tentar levar os outros a agirem ou sentirem das formas que julgamos desejáveis e honrosas. É raro achar alguém que passe longe da persuasão. Em nossos vínculos cotidianos, a maioria de nós se vê engajada nela durante a maior parte do tempo.

Há algumas habilidades que podem ser empregadas para finalidades boas ou más. Elas podem ser usadas escrupulosamente, sob bons princípios, ou de maneira inescrupulosa. A habilidade do médico ou do cirurgião pode ser utilizada para curar ou para mutilar; a do advogado, para promover a justiça ou para suplantá-la; a do tecnólogo, para construir ou para destruir. A habilidade do persuasor — o orador político, o vendedor, o publicitário, o propagandista — pode ser empregada com uma grande estima pela verdade e para alcançar resultados benignos, mas também pode ser poderosamente usada para enganar e ofender.

A sofística é sempre o uso impróprio das habilidades da retórica, um esforço inescrupuloso de persuasão através de quaisquer meios, sejam eles honestos ou ilícitos. A linha traçada por Platão a fim de distinguir o sofista do filósofo, ambos hábeis na discussão, coloca o filósofo ao lado daqueles que, dedicados à verdade, não abusariam da lógica e da retórica para vencer uma discussão através do engano, da deturpação ou de outra forma de trapaça.

O sofista, por sua vez, está sempre preparado para empregar qualquer recurso que sirva ao seu propósito. Para ser bem-sucedido, ele está disposto a fazer o pior argumento parecer o melhor e a se afastar da verdade, caso necessário.

Na Grécia antiga, os sofistas eram professores de retórica que buscavam vencer ações judiciais. Cada cidadão envolvido em litígio precisava desempenhar o papel de advogado, sendo seu próprio promotor ou defensor. Para aqueles que encaravam a vitória num processo judicial como um fim que justificava o uso de qualquer meio, fosse ele honroso ou não, o abuso sofístico da retórica satisfazia todos os requisitos.

Foi assim que a retórica ganhou sua má reputação, da qual nunca conseguiu se livrar completamente. É importante que todos nós recordemos que a sofística é o emprego inescrupuloso dessa arte. Não é o objeto de um uso abusivo que deve ser condenado.

Podem existir honestidade e desonestidade nas vendas ou em outros esforços de persuasão, assim como ocorre em muitas outras interações humanas. Um papo de vendedor não precisa se valer de mentiras e enganos para ser eficaz, nem uma venda bem-sucedida precisa utilizar os artifícios de um charlatão. O que acabei de dizer acerca da arte da venda se aplica a outras formas de convencimento e a outros usos da retórica.

Estou ciente de que, em certos lugares, esses termos – arte da venda, persuasão, retórica – não são bem vistos. Porém, uma vez compreendido que sua ligação com a sofística é acidental e evitável, não vejo por que deixá-los de lado. Eles se referem a atividades com as quais todos (ou a maioria de) nós nos envolvemos, podendo fazê-lo sem o uso de trapaças, mentiras e fraudes repreensíveis.

CAPÍTULO IV
O "PAPO DE VENDEDOR" E OUTRAS FORMAS DE DISCURSO PERSUASIVO

1

O título deste capítulo pode deixar o leitor receoso. O que um filósofo sabe sobre como elaborar um papo de vendedor? Esse é um assunto que dificilmente se encontra em sua alçada.

Para acabar com as preocupações do leitor, começarei fazendo aquilo que Aristóteles, também um filósofo, recomendava como o primeiro passo a ser tomado por alguém que deseja persuadir outra pessoa, em especial no âmbito prático.

Muitos anos atrás, quando em San Francisco foi fundado o Instituto de Pesquisas Filosóficas, recebi, como seu diretor, o convite para me dirigir aos clubes de publicidade da Califórnia durante um almoço. Um título me foi solicitado com antecedência. Sugeri "Aristóteles sobre a arte da venda", o qual, na minha opinião, seria espantoso o bastante para eles. E foi. Ninguém jamais associara o nome de Aristóteles à arte de vender – ou à publicidade, que é auxiliar dela.

O discurso que proferi teve início com uma explicação do título. A publicidade era uma forma de vendagem, não era?, perguntei. Eles assentiram. E toda tentativa de vender algo não era um esforço de persuasão – nesse caso, um esforço para convencer possíveis consumidores a comprarem o produto propagandeado? Eles concordaram mais uma vez.

"Ótimo", continuei. "Aristóteles é o mestre dessa arte, a arte da persuasão, tendo dedicado a ela um longo tratado intitulado *Retórica*." A fim de resumir a essência de sua mensagem, disse-lhes que Aristóteles chamava a nossa atenção para os três principais artifícios a serem empregados na tarefa de convencimento.

Não existem termos melhores para indicar essas três ferramentas do que aqueles que os gregos usavam: *ethos*, *pathos* e *logos*. Sendo direto, tudo se resume a isso.

Antes de explicar as táticas que correspondem a essas expressões, devo dizer que os publicitários reunidos naquele almoço ficaram tão impressionados com o conhecimento que Aristóteles tinha da atividade deles que, como vim a descobrir, naquela tarde as livrarias de San Francisco foram tomadas por membros da plateia, que tentavam adquirir, sem sucesso, exemplares da *Retórica*.

A palavra grega *ethos* indica o caráter de alguém. Estabelecer o próprio caráter é o primeiro passo a ser dado em qualquer tentativa de persuasão. O persuasor deve se apresentar como dono de uma natureza adequada ao objetivo que possui.

Se, diante de um público de uma ou mais pessoas, você deseja que os outros escutem não apenas com atenção, mas também com a certeza de que aquilo que será dito é digno de ser ouvido, você deve se apresentar como o tipo de pessoa que sabe do que está falando e que goza de honestidade e boa vontade. Você deve parecer cativante, agradável e confiável.

Para conseguir isso com minha plateia de publicitários, contei-lhes duas histórias sobre a minha vida. A primeira era sobre um colóquio que tive com um dos banqueiros da *Encyclopædia Britannica*, na época em que a empresa destinava muito dinheiro à publicação das coleções *Great Books of the Western World* [Os Grandes Livros do Mundo Ocidental] e *Syntopicon*,[1] as quais eu editava.

O banqueiro chegou à reunião sem nenhuma fé na vendabilidade do produto que lhe custava tanto dinheiro, em especial na do estranho *Syntopicon*, que talvez consumisse mais de um milhão de dólares – muito dinheiro na época – antes mesmo de ser finalizado. O que o *Syntopicon* poderia oferecer ao leitor para que ele se interessasse em adquirir a coleção que trazia o próprio *Syntopicon* acoplado? "Eu, por exemplo, estou interessado em compras e vendas", disse o banqueiro. "Se consultasse as 102 grandes ideias listadas no *Syntopicon*, encontraria alguma sobre a arte de vender?"

---

[1] Publicado pela primeira vez em 1952, o *Syntopicon* reúne, em dois volumes, aquelas que são consideradas as 102 maiores ideias do Cânone Ocidental. O trabalho integra o segundo e o terceiro tomos da coleção *Great Books of the Western World*, cuja proposta é divulgar grandes obras do Ocidente. Inicialmente com 54 números, sua edição atual ostenta sessenta. (N. T.)

Aquilo me deixou desnorteado por um instante. Afinal, o verbete "vendas" obviamente não figura entre as 102 grandes ideias, não sendo sequer listado entre os 1.800 termos subordinados que constituem o índice alfabético que se refere a aspectos das 102 expressões principais. Eu dei a volta por cima fazendo-lhe uma pergunta.

Ele não concordava com o fato de que, para vender algo a outra pessoa, é necessário saber como convencê-la a comprar o que se quer vender? Ele fez que sim imediatamente. Eu então encerrei o assunto dizendo-lhe que uma das 102 grandes ideias era a retórica, a qual diz respeito à arte da persuasão. Assim, se ele consultasse o capítulo do *Syntopicon* que abordava essa ideia, encontraria passagens extremamente úteis, embora nenhum dos grandes autores citados tivesse usado a expressão "arte da venda".

Isso foi tudo o que precisei fazer para acabar com o receio do banqueiro quanto ao dinheiro destinado à elaboração da obra. Eu havia lhe vendido o *Syntopicon*. Em seguida, contei à minha plateia de San Francisco a história de como precisara vender quinhentas coleções do *Great Books of the Western World* para custear a impressão e a encadernação de sua primeira tiragem.

Eu fiz isso tudo praticamente sozinho, primeiro escrevendo uma carta para Bob Hutchins (então reitor da Universidade de Chicago) e, depois, enviando nossas assinaturas para mil pessoas que poderiam se sentir honradas em patrocinar uma versão especial da primeira edição, comprando-a com antecedência ao custo de quinhentos dólares – mais uma vez, uma quantia muito grande na década de 1950.

Aquela carta deu origem a 250 cheques. Os 25% de retorno de minha única empreitada foi encarada pela plateia de publicitários como um sucesso sem equivalentes na esfera da mala direta. Eu suplementei meu êxito inicial vendendo as outras 250 coleções para clientes individuais, tanto por telefone quanto visitando seus escritórios.

Numa dessas ocasiões, vendi 45 coleções para o diretor de uma rede de mais de oitenta lojas de departamentos – cada uma das 45 lojas de sua cidade natal doaria um conjunto para a biblioteca ou para a universidade local, num gesto de relações públicas. Foram necessários menos de trinta minutos para que essa venda fosse concretizada. O executivo-chefe deixou claro que tinha pouco tempo disponível para mim no final daquela tarde de sexta-feira, quando estava prestes a deixar a cidade para o fim de semana. Dessa forma, cortei ao máximo o meu papo de vendedor para não deixá-lo impaciente, conquistando assim sua boa vontade.

Quando terminei a segunda história, os publicitários de minha plateia em San Francisco estavam bastante impressionados com meu engajamento na arte da persuasão e da venda. Dessa forma, eram todo ouvidos quanto comecei a explicar de que maneira Aristóteles resumira a essência da vendagem em sua análise dos três principais elementos da persuasão. Eu havia conseguido estabelecer meu próprio *ethos* antes de começar a explicar o papel que o *ethos*, o *pathos* e o *logos* desempenham no convencimento.

E é isso que também espero ter acabado de fazer ao lhe contar essas duas histórias sobre minha própria experiência como publicitário e vendedor.

2

Dos três elementos da persuasão – o *ethos*, o *pathos* e o *logos* –, o *ethos* deve vir sempre em primeiro lugar. Se não demonstrar sua credibilidade como orador e não parecer pessoalmente cativante aos olhos de seus ouvintes, você dificilmente conseguirá prender a atenção deles, que dirá persuadi-los a fazer o que deseja. Somente após estarem convictos de que podem confiar em você é que poderão ser persuadidos pelo que você tem a dizer acerca de qualquer outra coisa.

Existem, é claro, diversas formas de dar esse primeiro passo no processo de persuasão. Você pode fazê-lo contando histórias sobre si mesmo, e a eficácia disso será maior se elas provocarem risadas e as risadas forem sobre você. Você também pode fazer isso de forma mais indireta, subestimando sua autoridade no assunto a ser abordado e fazendo com que os ouvintes encarem isso como um excesso de modéstia. Da mesma forma, pode insinuar sua ligação com pessoas que têm certas qualidades que você admira e que gostaria que também lhe fossem atribuídas.

Dois exemplos clássicos do papel do *ethos* na persuasão são encontrados nos discursos feitos por Bruto e Marco Antônio na peça *Júlio César*, de Shakespeare.

Obviamente, não é adequado se referir a essas duas grandes falas como se fossem papos de vendedor. Elas são exemplos de persuasão política, cujo objetivo é levar os ouvintes a adotar outro procedimento.

Ainda assim, a persuasão prática não deixa nunca de ser uma venda, seja ela concretizada no mercado ou num fórum político, sobre um balcão ou numa câmara legislativa, numa transação comercial ou numa campanha para cargos públicos, na propaganda de um produto ou no apelo em prol de uma causa social ou da eleição de um governante.

Na peça de Shakespeare, como você deve se lembrar, Júlio César acabou de ser assassinado. Os cidadãos de Roma estão reunidos no fórum, perto de seu cadáver, lamentando aquela perda e clamando, raivosamente, por esclarecimentos. Bruto, um dos conspiradores que participaram do crime, sobe na tribuna e se dirige a eles:

> Sede pacientes até o fim. Romanos, concidadãos e amigos! Ouvi a exposição da minha causa e fazei silêncio, para que possais ouvir. Crede em minha honra e respeitai minha honra, para que possais acreditar nela. Julgai-me segundo vossa sabedoria e ficai com os sentidos despertos, para que possais julgar melhor. Se houver alguém nesta reunião, algum amigo afetuoso de César, dir-lhe-ei que o amor que Bruto dedicava a César não era menor do que o dele. E se esse amigo, então, perguntar por que motivo Bruto se levantou contra César, eis minha resposta: não foi por amar menos a César, mas por amar mais a Roma. Que teríeis preferido: que César continuasse com vida e vós todos morrêsseis como escravos, ou que ele morresse, para que todos vivêsseis como homens livres? Por me haver amado César, pranteio-o; por ter sido ele feliz, alegro-me; por ter sido valente, honro-o; mas por ter sido ambicioso, matei-o. Logo: lágrimas para a sua amizade, alegria para sua fortuna, honra para o seu valor e morte para a sua ambição. Haverá aqui, neste momento, alguém tão vil que deseje ser escravo? Se houver alguém nessas condições, que fale, porque o ofendi. Haverá alguém tão grosseiro para não querer ser romano? Se houver, que fale, porque o ofendi. Haverá alguém tão desprezível, que não ame sua pátria? Se houver, que fale, porque o ofendi. Faço uma pausa, para que me respondam.

Os cidadãos respondem em uníssono: "Ninguém, Bruto; ninguém". Então, contente ao vê-los convencidos de que havia justificativas para o assassinato, Bruto cede seu lugar a Marco Antônio. Porém, antes que Marco possa falar, o populacho, completamente rendido – ou vendido – a Bruto, o ovaciona e entoa as honras públicas que deseja conferir-lhe no lugar do falecido Júlio César. Bruto acalma a todos e implora para que deem ouvidos a Marco Antônio, a quem dera permissão para falar. Assim apresentado, Marco se dirige ao povo:

>Concidadãos, romanos, bons amigos,
>concedei-me atenção. Vim para o enterro
>fazer de César, não para elogiá-lo.
>Aos homens sobrevive o mal que fazem,
>mas o bem quase sempre com seus ossos
>fica enterrado. Seja assim com César.
>O nobre Bruto vos contou que César
>era ambicioso. Se ele o foi, realmente,
>grave falta era a sua, tendo-a César
>gravemente expiado. Aqui me encontro
>por permissão de Bruto e dos restantes –
>Bruto é homem honrado, como os outros;
>todos, homens honrados – aqui me acho
>para falar dos funerais de César.
>César foi meu amigo, fiel e justo;
>mas Bruto disse que ele era ambicioso,
>e Bruto é muito honrado. César trouxe
>numerosos cativos para Roma,
>cujos resgates o tesouro encheram.
>Nisso se mostrou César ambicioso?
>Para os gritos dos pobres tinha lágrimas.
>A ambição deve ser de algo mais duro.
>Mas Bruto disse que ele era ambicioso,
>e Bruto é muito honrado. Vós o vistes
>nas Lupercais: três vezes recusou-se
>a aceitar a coroa que eu lhe dava.
>Ambição será isso? No entretanto,

> Bruto disse que ele era ambicioso,
> sendo certo que Bruto é muito honrado.
> Contestar não pretendo o nobre Bruto;
> só vim dizer-vos o que sei, realmente.
> Todos antes o amáveis, não sem causa.
> Que é então que vos impede de chorá-lo?
> Oh julgamento! Foste para o meio
> dos brutos animais, tendo os humanos
> o uso perdido da razão. Perdoai-me;
> mas tenho o coração, neste momento,
> no ataúde de César; é preciso
> calar até que ao peito ele me volte.

O breve discurso de Bruto esclarece sobretudo o papel do *ethos*, assim como o faz a parte inicial, um pouco mais longa, da fala de Marco Antônio. Contente por ter justificado a si e a seus companheiros de conspiração, Bruto não tenta instigar os cidadãos a tomarem qualquer atitude. Tudo o que pede é que o deixem partir sozinho. Marco Antônio, por sua vez, tem outro objetivo em mente. Ele deseja vingar a morte de César levando a multidão a atitudes drásticas contra os conspiradores, em especial Bruto e Cássio. (Homens honrados, de fato!) Para isso, ele recorre ao *pathos* e ao *logos*, os dois outros elementos da persuasão.

3

Enquanto o *ethos* consiste no estabelecimento da autoridade e da credibilidade do falante, de seu caráter admirável e respeitável, o *pathos* busca incitar a paixão dos ouvintes, direcionando suas emoções à ação que deve ser tomada.

O *pathos* é o elemento motivador. Ele aparece bem no início do discurso de Marco Antônio, misturado, inclusive, à passagem de abertura, na qual se desenvolve o *ethos* do locutor. Marco recorda-lhes tudo o que César fizera por Roma, coisas das quais todos se beneficiaram; e, à medida que relata essas obras, ele repetidamente questiona se César teria mesmo demonstrado ambições egoístas, e não se dedicado ao bem comum.

Dessa maneira, Marco Antônio consegue modificar o estado de espírito que Bruto estimulara. Um dos cidadãos grita: "(...) procederam muito mal contra César"; outro exclama: "Recusou a coroa. Logo, é certo não ter sido ambicioso"; e há ainda mais um que exprime a admiração por Marco Antônio que seu uso do *ethos* buscara conquistar, dizendo: "Em toda Roma, não há ninguém mais nobre que Antônio".

Agora, contente por ter estabelecido seu bom caráter e também por ter orientado corretamente a emoção dos cidadãos, Marco reforça as paixões suscitadas, acrescentando motivos para que fossem levadas a cabo as atitudes que desejava.

O *logos*, a reunião de motivos, vem por último. Assim como é impossível suscitar as paixões – as emoções que favorecem o resultado desejado – até que você tenha suscitado sentimentos favoráveis à sua pessoa, não faz muito sentido recorrer a razões e argumentos até que se tenha estabelecido uma disposição emocional receptiva.

Razões e argumentos podem ser usados para reforçar o impulso das paixões, mas não terão força alguma se seus ouvintes não estiverem emocionalmente dispostos a caminhar na direção apontada por eles.

Como Marco Antônio consegue misturar, de maneira tão eficiente, o *pathos* e o *logos* nas partes finais de sua fala, levando os cidadãos de Roma a hostilizar Bruto, Cássio e seus sócios?

Em primeiro lugar, em suas outras observações, ele furtivamente faz menção ao testamento de César e insinua que, ao descobrirem seus termos, os cidadãos se veriam como seus beneficiários:

> Se eu disposto estivesse a rebelar-vos
> o coração e a mente, espicaçando-os
> para a revolta, ofenderia Bruto,
> ofenderia Cássio, que são homens
> honrados, como vós bem o sabeis.
> Não pretendo ofendê-los; antes quero
> ofender o defunto, a mim e a vós,
> do que ofender pessoas tão honradas.

> Vede este pergaminho: traz o selo
> de César. Encontrei-o no seu quarto;
> é o testamento dele. Caso o povo
> sua leitura ouvisse – desculpai-me,
> mas não pretendo lê-lo – correriam
> todos a depor beijos nas feridas
> do morto César e a tingir os lenços
> em seu sagrado sangue. Mais: viriam
> mendigar-lhe um cabelo, por lembrança,
> que, ao morrerem, seria em testamento
> transmitido aos herdeiros sucessivos,
> como rico legado.

Os cidadãos imploram para que Marco Antônio lhes revele o conteúdo do testamento. Porém, antes de contar que o documento concede 75 dracmas a cada romano, ele inicia uma peroração que eleva a paixão do povo às alturas:

> Se lágrimas tiverdes, preparai-vos
> neste momento para derramá-las.
> Conheceis este manto. Ainda me lembro
> quando César o estreou; era uma tarde
> de verão, em sua tenda, justamente
> no dia em que vencera os fortes nérvios.
> Vede o furo deixado pela adaga
> de Cássio; contemplai o estrago feito
> pelo invejoso Casca; através deste
> apunhalou-o o muito amado Bruto,
> e ao retirar seu aço amaldiçoado,
> observai com cuidado como o sangue
> de César o seguiu, como querendo
> vir para a porta, a fim de convencer-se
> se era Bruto, realmente, quem batia
> por modo tão grosseiro, porque Bruto,
> como o sabeis, era o anjo do finado.
> Julgai, oh deuses!, quanto o amava César.
> De todos, foi o golpe mais ingrato,

> pois quando a Bruto viu o nobre César,
> a ingratidão mais forte do que o braço
> dos traidores, de todo o pôs na terra.
> O coração potente, então, partiu-se-lhe
> e, no manto escondendo o rosto, veio
> cair o grande César justamente
> ao pé da estátua de Pompeu, que sangue
> todo o tempo escorria. Que queda essa,
> caros concidadãos! Eu, vós, nós todos
> nesse instante caímos, alegrando-se
> sobre nós a traição rubra de sangue.

O discurso produz o efeito esperado. Os cidadãos exigem vingança contra os assassinos e seu grupo, chamando-os de traidores e miseráveis. Eles deixam de ser homens honrados. Marco Antônio, porém, a fim de certificar-se de seu sucesso e de que conseguira vender ao populacho de Roma a atitude que desejava ver tomada, vai um pouco além para consolidar sua conquista. Como indicam os versos iniciais de seu discurso, essa empreitada se aproveita mais uma vez do contraste entre o *ethos* de Bruto e o *ethos* de Marco, resume os motivos – o *logos* – por trás da ação que deve ser tomada e confirma as emoções – o *pathos* – anteriormente suscitadas:

> Bons e amáveis amigos, não desejo
> levar-vos a uma súbita revolta.
> Os autores deste ato são honrados.
> Ignoro as causas, ai! particulares
> que a este extremo os levaram; mas são sábios,
> todos eles, e honrados, e decerto
> vos dariam razões do que fizeram.
> Não vim aqui roubar-vos, meus amigos,
> o coração. Careço da eloquência
> de Bruto. Sou um homem franco e simples,
> como bem o sabeis, que tinha o mérito
> de amar o seu amigo, o que sabiam
> perfeitamente quantos permitiram

> que eu viesse falar dele. Pois é fato:
> não tenho espírito, valor, palavras,
> gesto, eloquência e a força da oratória
> para inflamar o sangue dos ouvintes.
> Contento-me em falar tal como falo,
> simplesmente, dizendo-vos apenas
> o que todos sabeis, e ora vos mostro
> as feridas do nosso caro César –
> pobres bocas sem fala! – concitando-as
> a falarem por mim. Se eu fosse Bruto,
> sendo ele Antônio, agora aqui teríeis
> um Antônio capaz de levantar-vos
> o espírito e em cada uma das feridas
> de César uma voz pôr, que faria
> revoltarem-se as pedras da alta Roma.

"Revolta, sim!", bradam os cidadãos. "Queimaremos logo a casa de Bruto" e iremos atrás dos outros conspiradores. É aí, e apenas aí, que Marco Antônio dá fim à questão e revela de que maneira cada romano se beneficiará do testamento de César. É a gota d'água. Os cidadãos vociferam: "Trazei fogo. (...) Derrubemos os bancos. (...) Derrubai logo janelas, cadeiras, o que for". Satisfeito com o trabalho que fizera, Marco Antônio se retira, dizendo a si mesmo: "Que vá por diante. Desgraça, estás de pé; toma ora o curso que bem te parecer".

4

Para utilizar de maneira eficaz o *pathos* e suscitar impulsos emocionais favoráveis, os persuasores precisam ter duas coisas em mente.

Em primeiro lugar, é necessário que reconheçam aqueles desejos humanos presentes em quase todas as pessoas – o anseio por liberdade, justiça, paz, divertimentos, bens mundanos, honra, boa reputação, *status* social ou privilégios. Reconhecendo que esses desejos geralmente possuem uma força motriz poderosa, os persuasores podem usá-los para alcançar os propósitos que têm em mente, concentrando-se nas razões que fazem da atitude recomendada a melhor forma de satisfazê-los, e não aquela que o concorrente tenta vender.

Aqui, é o *logos*, e não o *pathos*, que os persuasores devem empregar para que a balança penda a seu favor, seja quando desejam tornar seu produto mais desejável que o da concorrência, seja quando desejam tornar seu candidato político preferível a outro. Ambos os produtos podem ter a mesma finalidade e, assim, satisfazer um desejo que já existe e que precisam apenas avivar; a tarefa dos persuasores, portanto, é explicar as razões por que o seu produto deve ser o escolhido.

De maneira semelhante, em campanhas políticas e discussões legislativas que abordam diretrizes controversas, e nas quais o apelo emocional se volta para a preservação da paz, para a proteção de liberdades ou para a garantia do bem-estar social, os persuasores não precisam criar um desejo de paz, de liberdade ou de bem-estar. Isso já está aí para ser usado. Eles precisam apenas provar que seu candidato ou sua política serve melhor a esse objetivo.

Nem sempre os persuasores podem contar com desejos já predominantes em grande parte de seu público e já prontos para serem explorados. Eles às vezes têm de instilar o próprio desejo com cujo produto, política ou candidato pretendem satisfazer. Às vezes, as pessoas trazem necessidades ou desejos adormecidos, dos quais não estão plenamente cientes. Os persuasores devem procurar despertá-los e vitalizá-los. Em outras ocasiões, é necessário criar um desejo novo, normalmente inoperante até que seja suscitado e transformado numa força motriz. É isso o que deve ser feito quando se tem um produto novo no mercado. Da mesma forma, é isso o que deve fazer o candidato a um cargo público se sua campanha estiver baseada num apelo novo.

No papo de vendedor, o *ethos* pode tanto preceder quanto combinar-se ao uso do *pathos*. O papel do relações públicas ou do consultor que trabalha na Avenida Madison é passar uma boa imagem da empresa, mas também fazer o próprio produto se tornar mais desejável do que o oferecido pela concorrência. Quando trabalham para um candidato político, esses especialistas na arte da persuasão agem da mesma forma. Eles tentam retratar de maneira fulgurante o caráter do candidato e elencar as razões pelas quais as políticas que ele ou ela defende devem ser endossadas.

5

Com o *ethos* e o *pathos* em plena operação, resta o *logos* como trunfo do persuasor. Aqui, há coisas que precisam ser evitadas e coisas que precisam ser feitas da maneira certa.

Antes de tudo, o persuasor deve evitar alegações longas, complexas e confusas. Sua tarefa não é produzir a certeza que resulta de uma prova matemática ou de um raciocínio científico. Uma persuasão eficaz ambiciona muito menos: apenas a preferência por um produto, um candidato ou uma política. Por isso, o argumento empregado deve ser bem mais enxuto, conciso e condensado.

Os persuasores, portanto, devem omitir muitas etapas de seu raciocínio para conquistar a mente dos ouvintes. O nome clássico para esse raciocínio é *enthymeme*, palavra grega que indica um processo de pensamento com muitas premissas ocultas. Obviamente, essas premissas não mencionadas devem ser generalizações que o persuasor julga partilhadas por todos. Diante de um tribunal judicial, o promotor ou a defesa pode pressupor certas proposições consideradas pela corte porque, sendo em geral reconhecidas como verdadeiras, elas não precisam ser explicitamente declaradas.

Com a admissão de tais generalizações, o persuasor pode logo partir de um exemplo particular – um que seja abarcado pela consideração presumida e omitida – e chegar à conclusão que elas acarretam. Argumentar a partir de um exemplo é isso. Se desejo convencer meus ouvintes a comprarem ou a adotarem determinada mercadoria ou política, posso realizá-lo de maneira eficaz demonstrando como ela exemplifica uma verdade amplamente aceita.

Eu não preciso declarar que é bom tudo aquilo que contribui para a saúde de alguém. Tenho apenas de dizer que meu produto faz isso – e que o faz muito bem. Não preciso afirmar que todos têm o direito de viver com o fruto de seu trabalho e que aqueles que estão desempregados sem ter culpa sofrem uma séria injustiça. Preciso apenas descrever minha política como algo que aumentará o número de empregos. Se estou processando o acusado de um crime grave, não preciso afirmar que deixar repentinamente as cercanias do crime é um indício de culpa. Tenho apenas de produzir provas que mostrem que foi isso o que o detento fez e que não há qualquer explicação para a sua fuga.

A brevidade ou dispersão do raciocínio não são os únicos elementos do argumento persuasivo. Há também o emprego das chamadas perguntas retóricas, que nada mais são do que perguntas formuladas de modo que, em geral, apenas uma resposta possa ser dada pelo público. Neste sentido, elas funcionam como as premissas omitidas pelo raciocínio breve, as quais, sendo universalmente aceitas, não precisam ser mencionadas.

Assim, por exemplo, Bruto pergunta aos cidadãos de Roma: "Haverá aqui, no momento, alguém tão vil que deseje ser escravo?", ao que acrescenta sem demora: "Se houver alguém nessas condições, que fale, porque o ofendi". Mais uma vez, Bruto indaga: "Haverá alguém tão desprezível, que não ame sua pátria?". Que este fale, "porque o ofendi". Bruto se atreve a formular essas perguntas retóricas porque sabe muito bem que ninguém dará a resposta errada.

Da mesma forma pergunta Marco Antônio, após descrever como as conquistas de César haviam enchido os cofres de Roma: "Nisso se mostrou César ambicioso?". E, após lembrar ao populacho que César por três vezes recusara a coroa que lhe fora oferecida, Marco pergunta: "Ambição será isso?". Ambas as perguntas eram perguntas retóricas, para as quais só era possível esperar uma resposta.

6

Ao explicar como os três elementos essenciais da persuasão afetam sua eficácia, eu indiquei os vários tipos de fala que, dotados de objetivos práticos, são abarcados pelo termo "papo de vendedor". Nós geralmente restringimos essa expressão às práticas de venda encontradas na publicidade e na comercialização de produtos. Porém, falar com objetivos práticos na esfera política, na câmara legislativa, no tribunal onde um réu deve ser acusado ou defendido, numa cerimônia pública que homenageará alguém ou comemorará algo – tudo isso, tanto quanto conquistar consumidores, envolve uma venda.

Toda apresentação pública que tem como fim uma ação prática exige os mesmos três elementos persuasivos que devem ser empregados numa venda bem-sucedida. E o mesmo se aplica ao convencimento prático que não vem a público – o tipo de discurso feito pelo presidente de um conselho administrativo aos seus colegas, pelo defensor de determinada política numa reunião de negócios e até mesmo por um membro da casa ao resto da família, com o objetivo prático de fazê-la adotar determinada recomendação.

De Aristóteles, Cícero e Quintiliano até hoje, as descrições clássicas da retórica pragmática não trazem expressões como "vendagem" e "arte da venda". Os tipos de discursos práticos são categorizados como *deliberativo* (referente à oratória política realizada nas assembleias legislativas), *forense* (que diz respeito ao tipo de discurso encontrado em procedimentos jurídicos, como as considerações finais de um advogado ao júri) e *epidíctico* (relacionado a qualquer esforço de enaltecer ou depreciar algo, tanto uma pessoa quanto uma política). Todos eles são formas de persuasão.

Obviamente, vender um produto, tal como elogiar uma pessoa ou uma política, é um esforço de persuasão laudativa. Não deve ser menos óbvio o fato de a oratória forense e a oratória política serem tentativas de convencer os ouvintes a comprarem algo – seja uma diretriz que está sendo defendida, seja um julgamento avaliativo.

CAPÍTULO V
Preleções e outras formas de discurso instrutivo

1

Você pode pular este e o próximo capítulo se não tiver a esperança de um dia ser chamado a proferir uma preleção. Da mesma forma, você pode lê-los por alto, aliviado por não ter de passar pelo que os outros passam quando precisam apresentar um discurso longo e bom a ouvintes silenciosos.

No entanto, se algo do gênero pode lhe ser exigido por alguma de suas tarefas ou por algum aspecto de sua carreira profissional, você poderá se beneficiar das sugestões apresentadas neste e no próximo capítulo. Muito do que tenho a dizer sobre a execução e a preparação de uma preleção acadêmica se aplica, ao menos em parte, a falas ou discursos mais curtos e menos formais.

Mesmo que, ao contrário de mim, você não seja professor, não sendo portanto convidado a ministrar preleções formais, é possível que um dia se veja obrigado a falar durante bastante tempo para uma plateia — num encontro de negócios, num comício político, numa reunião de equipe, para companheiros de sociedade ou até para os convidados de um jantar.

Minhas sugestões para o preparo e para a apresentação de preleções formais talvez sejam muito detalhadas e complexas quando são esses os propósitos, mas é possível adaptá-las ou reduzi-las de acordo com as circunstâncias, seguindo-as na proporção em que forem aplicáveis.

Já pude indicar que, segundo o significado original da palavra "preleção", o professor era acima de tudo um leitor.

Hoje, embora ainda consista numa apresentação oral ou falada, lecionar está mais associado à escrita do que à leitura. Seja em sua integridade ou através de notas, as preleções muitas vezes são redigidas com antecedência, e ocasionalmente uma exposição escrita vem a se tornar uma preleção oral. Ainda assim, as diferenças entre as duas formas de apresentação – a falada e a escrita – são enormes, e por isso a habilidade de escrever com eficácia nem sempre acompanha a habilidade de falar bem. Na verdade, é o contrário o que em geral acontece.

Ambas as formas de apresentação, a escrita e a falada, consistem em expor algo. E, embora o ensino possa assumir outros aspectos, expor é sempre ensinar. Quando lhe digo o que sei, penso ou compreendo, fazendo-o com o intuito de instruir a sua mente, estou comprometido em ensiná-lo. Está aí a diferença crucial entre o papo de vendedor, de um lado, e, do outro, a preleção e as outras formas de discurso instrutivo.

Existem muitas formas de conversação – o tatibitate do berçário, a conversa fiada dos jantares –, mas são os discursos persuasivo e instrutivo os dois modelos básicos com que nos preocuparemos. Ambos são essencialmente distintos, pois o primeiro procura influenciar a atitude ou os sentimentos do ouvinte e o segundo procura influenciar suas mentes. Os dois envolvem a arte da persuasão, mas com finalidades distintas.

Seria compreensível achar que o objetivo da preleção que ensina é convencer a mente, e não apenas persuadi-la. No entanto, a convicção carrega consigo um grau de certeza que poucas vezes – ou nunca – é alcançado fora do âmbito da matemática e das ciências exatas. Uma apresentação oral e eficaz que deseja convencer seus ouvintes acerca da verdade de algumas proposições precisa apenas apresentar a ordem, a clareza e o poder de convicção que uma lógica sólida lhe confere. Nenhuma consideração retórica está envolvida. Aqui, as diferenças entre uma apresentação oral e uma apresentação escrita do mesmo conteúdo se tornam quase insignificantes.

Portanto, nos concentraremos principalmente no tipo de apresentação que objetiva um resultado mais modesto: a persuasão que não está além de toda e qualquer dúvida, mas que só está além da dúvida moderada ou que simplesmente favorece evidências e razões em prol de determinada visão. Aqui, uma lógica sólida não é o suficiente, e precisamos atentar para as considerações retóricas levantadas pelas importantes diferenças entre a apresentação falada e escrita do mesmo material.

Assim como o termo "papo de vendedor" pode ser empregado para falar de todas as formas de persuasão *prática* – da oratória política, dos sermões eclesiásticos, das argumentações jurídicas, das transações comerciais, dos panegíricos solenes, assim como da arte de persuadir as pessoas a comprar determinado produto no mercado –, o termo "preleção" pode ser usado para abarcar todas as formas de persuasão *instrutiva* – esforços de convencimento que objetivam um resultado intelectual e teórico, e não prático, assim como uma mudança de pensamento, em vez de uma mudança de sentimentos ou de impulsos acionais.

Na verdade, não todas as formas, pois já excluí o tipo de ensino que, na matemática ou nas ciências exatas, busca produzir certezas acerca da verdade de certos princípios ou conclusões. Eu também excluiria o tipo de apresentação falada que deseja apenas transmitir um conjunto de informações aos ouvintes. Para ser eficaz, ele só precisa estar gramaticalmente correto e ser realizado num ritmo que permita ao ouvinte assimilar os detalhes da informação exposta. A eficácia, aqui, não depende de uma lógica sólida ou de uma retórica hábil.

Como a informação assim transmitida será basicamente assimilada pela memória dos ouvintes, na maioria dos casos ela pode ser transmitida com mais eficácia através da escrita, e não do discurso. Se por alguma razão o discurso for utilizado, junto deve vir um documento redigido capaz de ser lido e relido. Dessa forma, assegura-se uma memorização mais fácil.

Tendo sido indicadas essas exclusões, o que nos resta? Em primeiro lugar, o tipo de preleção que ocorre em salas de aula e em instituições de ensino, aqueles cinquenta minutos canônicos que podem sofrer ou não a interrupção dos ouvintes. Em seguida, vem aquela que, distinguindo-se da fala de cinquenta minutos, chamo de preleção formal, a qual é proferida numa sala de conferências para uma plateia de qualquer tamanho, sempre sem interrupções. A sala pode estar localizada numa instituição de ensino e a preleção pode se dirigir apenas a estudantes de lá, mas também pode ser oferecida num salão público para uma plateia mais generalizada.

Embora seja a elas que normalmente apliquemos a palavra "preleção", essas duas formas de discurso instrutivo não são as únicas. Os sermões realizados do alto do púlpito de uma igreja ou de qualquer congregação religiosa também são exemplos de ensino quando consistem em comentários ou explicações acerca de um texto bíblico, em geral do capítulo do dia. Os sermões, é claro, também podem ser oratórios, em vez de didáticos, quando consistem numa persuasão prática que deseja mudar a vontade ou a conduta dos ouvintes, e não aperfeiçoar sua compreensão.

Além das apresentações em sala de aula, das preleções formais e dos sermões didáticos, o discurso instrutivo também tem lugar no mundo dos negócios. Uma reunião de executivos pode ser organizada por seu diretor-presidente ou por algum de seus membros no intuito de transmitir informações sobre negócios iminentes, de analisar um problema interno que requer melhor compreensão ou de estimular reflexões sobre o andamento das atividades.

Reuniões de militares também podem envolver discursos de um comandante que deseja alcançar algum dos três objetivos que mencionei anteriormente, ao falar das reuniões de executivos. As diferenças evidentes entre a sala de aula, a sala de conferências, a igreja, um encontro de negócios e uma reunião de militares não alteram o que essas formas de preleção têm em comum, pois todas envolvem um relato instrutivo, um discurso que, para influenciar a mente de seus ouvintes, procura enriquecer o que eles já sabem, aprimorar o que compreendem ou estimulá-los a pensar de maneiras como nunca pensaram antes.

Algo mais? Sim: o discurso instrutivo pode ocorrer até mesmo à mesa de jantar ou numa sala de visitas, quando o anfitrião ou a anfitriã solicita que um dos convidados, em geral o de honra, se dirija aos interessados para abordar um assunto em que é considerado especialista ou particularmente competente.

Por enquanto, no que diz respeito às diferentes ocasiões em que ocorre o discurso instrutivo, gostaria de restringir nossa energia ao tipo de ensino por exposição que consiste no discurso ininterrupto, no qual os ouvintes permanecem em silêncio até que a apresentação oral termine.

Faço isso agora porque, na Terceira Parte, pretendo analisar o que torna a escuta mais eficaz para o público que permanece em silêncio durante uma preleção ou um discurso. Desejo dedicar a Quarta Parte ao exame da conversa de mão dupla, mas não apenas ao tipo de intercâmbio entre falantes e ouvintes engajados em perguntar e responder (o qual ocorre em colóquios de todos os tipos e no ensino feito através de debates); desejo abordar também o tipo de conversa de mão dupla que se dá quando um locutor instrutivo de qualquer gênero para de falar e convida seus ouvintes a questionarem-no, seja numa sala de aula, numa sala de conferências, num encontro de negócios, numa reunião de militares ou no lar de alguém.

O que acabei de dizer se aplica tanto ao papo de vendedor quanto às preleções. O papo de vendedor pode se prolongar – para ser eficaz, apenas por um curto período – sem ser interrompido, mas aí também ele precisa ser imediatamente acompanhado, em primeiro lugar, de perguntas feitas pelo persuasor pragmático e, depois, de perguntas feitas por outros. Quando isso acontece, algo semelhante ao colóquio ou ao debate dá continuidade ao discurso ininterrupto.

2

Pela mesma razão que ouvir é mais difícil do que ler, prelecionar é mais difícil do que escrever. Isso se dá porque tanto ouvir quanto falar, ao contrário de escrever e ler, ocorrem durante uma extensão temporal limitada e num fluxo irreversível. É possível retornar ao que alguém escreveu ou leu. É possível fazê-lo pelo tempo desejado, até que se considere que a escrita ou a leitura foi feita da melhor forma possível. O ouvinte silencioso deve assimilar de maneira dinâmica o que é dito. Isso impõe ao público de uma preleção a obrigação de estar perseverantemente atento. O que se perde durante um momento de distração, ou ao se desligar do falante para voltar a mente a outras coisas, está perdido de forma irreparável.

Da mesma forma, o falante não interrompido deve fazer o que for necessário para conquistar a atenção de sua plateia. No tempo limitado de uma preleção ou de um discurso, ele deve dispor as partes de sua fala de modo que os ouvintes possam segui-la com facilidade e preservá-la na memória enquanto alternam de um assunto para outro no contínuo fluxo discursivo.

Precisamente por serem de execução mais difícil do que a escrita e a leitura, o discurso ininterrupto e a escuta silenciosa bem realizados se tornam mais eficazes quando à fala instrutiva segue-se uma conversa de mão dupla – através de colóquios ou debates, de perguntas e respostas ou de algum tipo de fórum em que o falante e o ouvinte possam travar um diálogo ativo.

Se por alguma razão um discurso deve ser ministrado sem proporcionar aos ouvintes a chance de estabelecer um intercâmbio ativo com o falante, este deve estar bem preparado para superar as dificuldades da escuta, oferecendo por escrito a essência de suas observações. Dessa forma, a leitura compensará as deficiências de escuta que provavelmente surgirão e que não serão sanadas por uma discussão posterior.

Quando a preleção não é suplementada por um debate que auxilia o falante a se certificar de que a mente dos ouvintes foi alcançada e influenciada; e quando, na ausência do que pode ser conquistado pelo debate, a escuta não é suplementada pela leitura, a preleção se torna a forma de instrução mais ineficaz de todas. Ela pode não passar de observações que, expressas pelo prelecionador, se transformam em observações cada vez mais fragmentadas nos ouvintes, sem transitar pela mente de nenhum dos dois. Apenas a memória pode vir a ser influenciada, o que talvez se resuma a uma lembrança muito pobre, e até distorcida, do que foi ouvido.

Isso acontece com maior frequência na fala de cinquenta minutos do professor em sala de aula. Notavelmente diferente é a preleção formal que, nas universidades europeias, constituem mais a regra do que sua exceção. Tais apresentações são preparadas especialmente para a ocasião e quase nunca, talvez nunca mesmo, são dignas de serem passadas para uma forma escrita e publicável. As preleções formais no estilo europeu, que nas universidades norte-americanas são uma exceção, e não a regra, geralmente se tornam capítulos de livros depois de serem ministradas.

Não posso me abster, aqui, de contar a história de um convite feito pela Universidade da Califórnia ao professor Etienne Gilson, um dos luminares do College de France no campo da história das ideias, além de grande filósofo. O convite para se tornar professor visitante em Berkeley incluía um honorário que o acadêmico francês julgou extremamente sedutor, a ponto de perguntar às autoridades da universidade o que dele era esperado, caso aceitasse o convite.

A resposta afirmava que ele deveria ministrar doze preleções por semana, carga habitual dos professores da universidade. Para o *monsieur* Gilson, essa expectativa o forçaria a fazer algo que julgava ser impossível. Ele respondeu dizendo que, no College de France, nunca precisava ministrar mais de duas preleções semanais, e isso com menos frequência do que uma a cada duas semanas. Era necessário aquele tempo todo para que preparasse uma apresentação.

Como alguém poderia preparar doze palestras em sete dias, fazendo isso semana após semana durante o período de um semestre? É completamente impossível, disse o professor Gilson, recusando o convite e enfatizando que, ao fim de uma série de suas preleções formais, elas geralmente eram publicadas em livro. Ele sugeriu que, em vez de convidá-lo para ir a Berkeley, seria menos dispendioso para a Universidade da Califórnia comprar seus livros e oferecê-los aos seus alunos.

3

Pude afirmar anteriormente que falar a um público que deseja a informação comunicada não exige habilidades lógicas nem retóricas. Nesse caso, é necessário apenas falar com uma cadência e uma voz que possam transmitir as informações de maneira clara e distinta. Os detalhes devem ser apresentados ordenadamente, de modo que, se existirem conexões intrínsecas, cada item informado conduza naturalmente a outro.

As preleções que desejam instruir na área da matemática e das ciências exatas certamente devem ser orientadas pela lógica inerente ao assunto, mas a única habilidade retórica exigida em tais apresentações é a de certificar-se de que o problema a ser resolvido foi compreendido antes da apresentação de sua solução, quando então o falante deve ser o mais claro possível acerca dos passos a serem tomados para alcançá-la. Aqui, cada passo também deve estar ordenado, de forma que um conduza ao outro de maneira irrefutável.

É claro que há mais por trás da instrução eficaz, mesmo no âmbito da matemática e das ciências exatas. Se forem ocorrer demonstrações em laboratório, um certo quê de espetacularismo ao prepará-las e conduzi-las contribui para o efeito desejado. Antes de mais nada, a euforia intelectual por parte do professor (ainda que o assunto em questão lhe seja batido) ajuda a produzir uma euforia semelhante no ouvinte. Sem ela, a comunicação, embora lógica e clara, continua sendo uma recitação enfadonha que acaba por desanimar seu público.

Resumindo, o bom prelecionador deve ter certos talentos em comum com o bom ator. Cada vez que é alçada a cortina, mesmo que ela já lhe tenha sido alçada antes, o desempenho do orador deve sempre parecer novo ao público. Essa sensação de novidade deve ser intensificada pela sensação de que o falante está descobrindo ali as verdades sendo expostas. A habilidade dos prelecionadores de dramatizar os momentos de descoberta engajará os ouvintes na atividade de descobrir as verdades que devem ser apreendidas. Sem essa atividade, não pode haver quase nenhum aprendizado genuíno. Os resultados obtidos equivaleriam a recheios para a memória, compostos de assuntos que logo serão esquecidos.

O que acabou de ser dito também se aplica a todas as formas de discurso instrutivo, mas o papel da retórica se amplia muito mais quando o falante não está transmitindo informações ou expondo verdades da matemática ou das ciências exatas. Quando deixamos essas duas circunstâncias de lado, encontramos a fala que procura convencer a mente dos leitores a adotar uma visão que não tinham antes ou a trocar uma visão anterior por uma que está sendo oferecida em substituição.

Em todos os esforços do tipo, o falante deve levar em consideração a natureza do público a que se dirige. Uma preleção sobre um assunto predeterminado que objetiva um resultado também predeterminado não deve ser ministrada ao acaso para plateia alguma. Eu já fui chamado várias vezes a falar sobre determinado tema para um público ao qual, na minha opinião, seria inadequado abordá-lo. É preciso ao menos estar um pouco certo de que o assunto escolhido exerce alguma atração sobre as pessoas da plateia e de que o contato prévio delas com ele lhes permite aumentar esse interesse.

Porém, é necessário mais do que essa receptividade inicial. O falante deve ser capaz de conjeturar, com alguma perspicácia, o caráter geral das visões que possivelmente prevalecem entre os ouvintes. Se elas estão alinhadas com os pontos de vista que serão apresentados, a tarefa do falante é confirmá-las, reforçá-las e, talvez, expandi-las. Isso é muito mais fácil do que modificá-las e substituí-las por visões contrárias.

Para persuadir os ouvintes a mudar de mentalidade e adotar visões contrárias às que sustentam de maneira persistente e quiçá obstinada, é necessário solapar seus preconceitos de uma forma ao mesmo tempo firme e sutil.

Preconceitos de longa data são obstáculos ao convencimento. Eles precisam ser eliminados antes que a persuasão positiva possa ter início. Sua remoção abre a mente do ouvinte e a torna receptiva a visões de teor contrário.

Pensar nas circunstâncias mentais do público a que você se dirigirá e na relação que ele tem com o assunto a ser abordado ainda não é o suficiente. Você também precisa pensar na relação dele com sua própria pessoa. Seus ouvintes podem nutrir contra você preconceitos ou suspeitas que devem ser vencidos antes que a persuasão positiva possa começar. Retratar o seu *ethos* de maneira positiva desempenha um papel nas preleções cujo grau de importância é só um pouco menor do que o exigido por um papo de vendedor eficaz.

Se nenhuma impressão favorável sobre seu caráter e sua competência tiver sido transmitida anteriormente ao seu público, você deve fazer o que for necessário para estabelecer sua autoridade no assunto escolhido.

É claro que é melhor se outra pessoa fizer isso, seja num anúncio anterior ao evento, seja apresentando-o ao público antes que você assuma o palco. Porém, nunca é seguro confiar demais nessas descrições. Em minha experiência, elas muitas vezes são excessivas ou escassas, e é preciso fazer as correções necessárias para estabelecer o seu *ethos* a partir de uma perspectiva mais verdadeira.

Nunca me esquecerei da ocasião em que uma impressão equivocada do meu *ethos* mostrou-se tão contrária ao meu verdadeiro caráter que quase não pude falar ao público acerca do assunto escolhido.

Liam O'Flaherty se comprometera a falar sobre a vida e a literatura irlandesas num dos subúrbios de Chicago, para uma plateia aberta. Um abuso nas comemorações de Ano-novo o impediu de comparecer, como combinado, no dia 3 de janeiro, e em cima da hora fui chamado pelo diretor do evento para ser seu substituto, sob o acordo de que falaria sobre o estado da educação norte-americana.

A apresentação que precedeu minha fala informou ao público que eu não era Liam O'Flaherty e que o assunto a ser abordado seria a educação, e não a vida e a literatura irlandesas. Até aí, nenhum problema. Porém, o que tanto eu quanto o diretor que me apresentava não prevíramos era o número de pessoas que chegariam atrasadas à preleção e que ocupariam os assentos da frente, os únicos disponíveis. Sob a luz fraca do auditório, seus semblantes e olhos eram os únicos que eu podia distinguir. Fiquei tão inquieto com o olhar de espanto e de dúvida em seus rostos que, antes de me sentir razoavelmente confortável para prosseguir, tive de interromper a preleção, explicar quem eu era, o porquê de minha presença ali e o assunto de minha fala.

4

Além de explorar o *ethos* para conquistar a simpatia dos ouvintes, na preleção também é necessário, assim como no papo de vendedor, empregar o *pathos* para aumentar a eficácia do esforço persuasivo. Já pude indicar como isso deve ser feito em preleções que dizem respeito a assuntos da matemática e das ciências exatas. Nelas, tudo se resume a comunicar teatralmente uma euforia intelectual por parte do falante, a fim de produzir uma euforia semelhante nos ouvintes. É preciso mais do que isso quando o assunto a ser tratado diz respeito a outras áreas.

Em discursos que objetivam uma persuasão de ordem prática, você deve suscitar, nos seus ouvintes, reações emotivas favoráveis à atitude que gostaria que eles tomassem – não apenas suscitá-las, mas também orientá-las firmemente na direção daquilo em que eles devem se empenhar. O controle do *pathos* funciona de maneira diferente no discurso instrutivo que tem um objetivo teórico, e não prático.

Antes de mais nada, aqui são as suas próprias emoções que devem ser exploradas. Você precisa manifestar, da forma mais franca possível, sua ligação emocional com os pontos de vista em questão. De sua parte, a indiferença é fatal. Se as visões que você defende e quer que o público adote não forem expostas com fervor emotivo, dificilmente será possível gerar nele um interesse vívido, que dirá a disposição de partilhá-las com você.

Esse fervor emotivo pode ser demonstrado no que você tem a dizer acerca do problema em discussão, das ideias que está desenvolvendo para solucioná-lo, da solução que está propondo ou de tudo isso. Para ser eficaz na persuasão, não basta ser claro, irrefutável e coerente, por mais desejáveis que essas qualidades sejam. O raciocínio que você realizou sozinho e que agora está articulando publicamente em seu discurso deve ter tanta força emocional quanto intelectual.

É preciso comover tanto quanto instruir as mentes de sua plateia, e para isso a emotividade delas, atiçada pela sua, é fundamental.

Quanto mais abstrato for seu argumento, mais afastado da experiência cotidiana ele tende a ser; quanto mais "acadêmico" ele pareça à sua plateia, mais é preciso superar as dificuldades que ela provavelmente terá para ouvir e acompanhar o que você tem a dizer. Mas como? Por mais estranho que pareça, sendo mais – e não menos – físico em sua apresentação.

Com isso, refiro-me à quantidade de energia física empregada em sua voz, em sua postura e nos gestos que fazem se moverem sua cabeça, seu corpo e seus braços. De alguma forma, a manifestação do envolvimento de seu corpo naquilo que está sendo dito, assim como a energia física utilizada ao dizê-la, compensa a abstração das ideias expressas e seu afastamento do cotidiano.

Um diagrama esquemático, apresentado num quadro-negro ou em outro lugar, ajuda da mesma forma. É algo para onde se pode apontar, algo em cuja direção se pode gesticular durante a fala. Quando não há um auxílio como esse à disposição, você pode compensar sua ausência esboçando com as mãos um diagrama no ar.

"À minha direita", você poderia dizer, "encontra-se uma das visões radicais que considero insustentáveis. Por sua vez, à minha esquerda" – agora gesticulando na direção oposta – "está o outro extremo, igualmente insustentável. Entre elas, porém, no meio" – desta vez com sua mão ao centro, para cima e para baixo – "encontra-se a visão moderada que se concilia com as meias-verdades contidas nos dois polos". Daí em diante, você pode fazer seus ouvintes pensarem nas três visões que estão sendo comparadas e avaliadas ao apontar, durante a fala, para a esquerda, para a direita ou para o centro.

Um artifício semelhante é utilizar os dedos para chamar a atenção de seu público aos elementos que você quer que sejam considerados. "Esta é a primeira questão", dirá você com a mão erguida e um dedo levantado. "E esta é a segunda", continuará, enfatizando com um gesto similar, agora com dois dedos erguidos – e assim por diante.

Acompanhando os movimentos físicos, seu tom de voz deve ser modulado de forma que ela se eleve quando de um momento de ênfase e diminua quando estiver simplesmente alternando de um momento enfático para outro.

A maioria dos seres humanos, mesmo entre os que têm bastante instrução, acha difícil sobrepujar a própria imaginação ou pensar sem o apelo a imagens vívidas e exemplos concretos. Porém, as abstrações – e muitas vezes as abstrações de um nível relativamente alto – são indispensáveis para a reflexão acerca de qualquer assunto importante, em especial sobre temas que envolvam ideias fundamentais.

Quase nunca é possível pensar direito sobre esses assuntos valendo-se apenas de termos concretos; e, para piorar, tal reflexão com frequência é distorcida ou desnorteada por apelos à imaginação ou a exemplos concretos que tendem a obscurecer, e não iluminar, as ideias envolvidas. Portanto, é necessário içar a mente de seus ouvintes a níveis de abstração que transcendem seus alcances imaginativos.

5

Depois de mais de cinquenta anos ministrando preleções formais em universidades e para todos os tipos de público, aprendi uma lição importante acerca dos assuntos que acabamos de examinar. Não seja condescendente com sua plateia ao abordar assunto algum. Se fizer isso, você será rejeitado de imediato, e com razão. Por que seus ouvintes deveriam se esforçar para ouvi-lo se você está lhes dizendo algo que já sabem ou já compreendem por completo?

Sempre se arrisque a falar difícil! Através do fervor emocional do seu discurso, de sua energia física e do seu claro envolvimento corporal com conteúdos obviamente abstratos, você deve levá-los a ampliar suas mentes e a vislumbrar o que não vislumbravam antes.

Não há mal algum em dizer coisas que não compreendam. É muito melhor para eles saber que conseguiram entender algo através do próprio esforço (ainda que também sintam que algumas coisas lhes escaparam) do que ficarem sentados em seus lugares, sentindo-se insultados pela maneira condescendente como você se apresentou.

Já afirmei, repetidas vezes, que os livros verdadeiramente notáveis são os poucos que estão sempre acima de todo entendimento. É por isso que eles podem ser relidos sem parar, fornecendo mais e mais aprendizados a cada leitura. O que você apreende a cada vez é um passo adiante no desenvolvimento de sua mente; o mesmo acontece quando você percebe o que ainda precisa ser compreendido através de um novo esforço de sua parte.

No que diz respeito ao aumento de sua compreensão, qualquer livro que o leve a realizá-lo é, por isso mesmo, um livro notável *para você*, embora possa não sê-lo para outros. O que se aplica aos livros também se aplica às preleções. As únicas preleções intelectualmente proveitosas são aquelas que aumentam o conhecimento de alguém e ampliam suas perspectivas.

A orientação que fortemente recomendo – a de promover o que será dito num nível que ultrapassa o da plateia – deve ser norteada por duas precauções. A primeira é a de medir com precisão o nível de seus ouvintes, a fim de não transcender demais o domínio deles e de fornecer-lhes algo a que possam se ater em seu esforço de aprimoramento.

Com isso em mente, o outro cuidado é o de assegurar-se de que os ouvintes sabem o bastante para ter, naquilo que podem facilmente assimilar, uma base intelectual firme, a partir da qual seja possível ampliar seus horizontes. Isso os encorajará a fazer o esforço. Porém, esse enriquecimento mental deve ser realizado apenas se o ensino pela fala estiver relacionado a algum bem intelectual.

Tal como acontece com o *ethos* e o *pathos*, também o *logos* desempenha seu papel no papo de vendedor e na preleção, e aqui também com uma diferença. Enquanto os argumentos envolvidos na venda ou em qualquer outra forma de persuasão prática devem ser sempre reduzidos e concisos – muitas vezes a ponto de se tornarem quase imperceptíveis –, o conteúdo lógico de uma boa preleção ou de um bom discurso instrutivo deve ser extenso e completamente claro. O *logos* tem de ser explicitado de maneira detalhada.

Repetições precisam ser utilizadas, e não evitadas. Elas podem ser ainda mais eficazes se empregadas para reiterar a mesma questão de várias formas diferentes. Se determinado argumento for complexo e extenso, como muitas vezes calha de ser, é preciso que venha acompanhado de um resumo conciso, reduzido à enunciação de sua mensagem com frases curtas e impactantes. *Em poucas palavras, é isso o que estou dizendo.*

6

Duas palavras gregas designam ainda mais fatores aplicáveis tanto ao discurso instrutivo quanto ao discurso persuasivo. A primeira é *taxis*; a outra, *lexis*.

Taxis diz respeito à organização de um discurso, à disposição das três partes que o compõem. A primeira delas é seu proêmio, sua abertura ou introdução; a segunda, seu corpo principal; a terceira, por sua vez, é sua peroração, seu encerramento ou conclusão.

Na maioria dos papos de vendedor, a abertura deve tentar estabelecer o *ethos* do falante. A isso deve se seguir a exploração do *pathos*. O *logos* deve ser deixado para o fim.

Um papo de vendedor, em especial se for convenientemente curto, possui uma estrutura relativamente simples. Se ostentar uma organização muito complexa e uma extensão indevida, ele anulará seu próprio objetivo. Muitos oradores políticos cometem esse erro. Alguns dos maiores discursos já feitos são muito bons para serem lidos, mas foi quase impossível escutá-los. O Discurso de Gettysburg, de Abraham Lincoln, é uma exceção merecidamente célebre.

Um discurso que busca ensinar algo a seus ouvintes pode ter uma extensão maior e uma organização mais complexa. Sua introdução deve descrever brevemente o todo — apresentar suas três ou quatro seções principais —, de modo que o público descubra com antecedência o que pode esperar. Deixá-lo com tal expectativa o leva a escutar e acompanhar com mais atenção o que está sendo dito. Possuir com antecedência uma espécie de mapa ou quadro do caminho a ser percorrido torna-os capazes de detectar, de tempos em tempos, que parte do discurso foi alcançada em seu fluxo avançado e contínuo.

O proêmio, ou a introdução, de uma preleção deve objetivar ainda mais. Sua linguagem e sua forma devem garantir a atenção dos ouvintes. Poucos falantes conseguem não hesitar ou gaguejar em determinados momentos; poucos conseguem evitar uma ou outra frase proferida pela metade; mas, logo no início, o falante não deve dar sequer um passo em falso.

Nesses momentos de abertura, o que o falante tem para dizer deve ser dito de forma alta e clara, através de frases contundentes e sem qualquer hesitação ou recuo. Esse momento não apenas atrai a atenção desejada, mas também estabelece o tom e o ritmo do resto da apresentação.

O cerne do discurso deve ser disposto – tendo as suas partes sucessivas ordenadas e relacionadas – exatamente como descrito em suas observações iniciais. Foi através delas que os ouvintes descobriram o que o falante planejava lhes dizer, em que ordem a exposição ocorreria e como uma coisa conduziria a outra. A execução do plano esquematizado no começo deve fazer com que o falante o siga da forma mais simples e manifesta possível.

Se o cerne do discurso consiste, digamos, em três partes essenciais, cada uma delas deve terminar com algum resumo do que já foi dito e incluir uma transição para o que vem a seguir. Repetições podem ser necessárias para auxiliar os ouvintes a discernirem por onde eles já passaram, onde agora se encontram e para onde estão prestes a ir.

O motivo pelo qual as repetições devem ser evitadas na escrita (afinal, os leitores podem virar as páginas e retomar uma questão que acabou de ser mencionada e não foi novamente esclarecida) não se aplica à fala. Ao contrário, as repetições são necessárias exatamente porque o ouvinte não pode retornar a algo dito antes. O discurso está sempre avançando, e por isso o falante precisa repetir o que o ouvinte deve ter em mente para entender alguma afirmação futura.

A peroração, ou encerramento, de uma preleção precisa ser breve. Se prolixa, ela dá uma rasteira em si mesma. Ela deve resumir o discurso como um todo no menor escopo e com a maior clareza possíveis. As frases finais, tal como as de abertura, devem ser construídas com cautela e proferidas com eloquência. Elas precisam ser ditas lentamente, num tom que transmita aos ouvintes a certeza de que aquilo que foi dito satisfaz a promessa inicial do discurso. Da mesma forma, precisam carregar alguma manifestação emocional que deixe claro, aos ouvintes, que o falante considera importante o que lhes foi dito.

Mais uma coisa sobre o tamanho da preleção. A duração mais confortável para a plateia provavelmente vai de trinta minutos a uma hora. Porém, o conteúdo a ser abordado às vezes exige que a apresentação seja mais longa, e nesse caso o falante deve encontrar um ponto de interrupção e, nele, dar ao público um pequeno descanso antes de prosseguir até o fim.

Já pude perceber que, se for necessária uma hora e vinte minutos para que uma preleção seja realizada numa velocidade razoável, é de grande ajuda anunciar previamente que você fará uma breve pausa ao fim do terceiro argumento principal, após cerca de cinquenta minutos, prosseguindo então com a meia hora restante. No momento da interrupção, você pode inclusive pedir aos ouvintes que fiquem de pé em seu próprio lugar, para inspirarem e expirarem três vezes, se alongarem e, em seguida, se sentarem novamente, a fim de que você possa dar continuidade ao discurso.

A última consideração é a da *lexis*. Aqui, preocupamo-nos com a linguagem ou o estilo literário da preleção: a escolha de suas palavras, a fuga da ambiguidade – ou, se ela for inevitável no uso de certos vocábulos, a sua indicação, feita pela distinção dos dois ou três significados diferentes, mas relacionados, com que determinada palavra é empregada.

Em geral, o vocabulário do falante deve se harmonizar ao máximo com o vocabulário da plateia. Digo em geral, e não sempre, porque pode ser necessário que ele apresente uma série de termos estranhos aos discursos do dia a dia.

Esses termos devem ser reduzidos ao mínimo, e quando palavras estranhas ou extraordinárias aos ouvintes forem usadas, é preciso chamar a atenção deles para isso e explicar-lhes cautelosamente seu significado.

Às vezes, o orador precisa empregar uma expressão de uso habitual num sentido nada comum, a qual pode inclusive ter um significado que se afasta radicalmente de seu significado cotidiano. Os ouvintes ficarão confusos se o falante não tomar o grande cuidado de explicar-lhes como essa palavra está sendo utilizada, e talvez seja até necessário recordá-los disso várias vezes.

Empregar o menor número possível de termos técnicos e específicos, assim como usar com pouca frequência palavras corriqueiras com significados incomuns, talvez seja a primeira regra linguística do ensino eficaz pela fala, em especial quando se discursa para públicos populares. Jargões e linguagens esotéricas devem ser evitados a qualquer custo.

A outra regra de estilo pode ser enunciada em duas proposições. Em primeiro lugar, a linguagem empregada e as frases construídas devem ser claras sem serem simplórias. Em seguida, elas precisam estar um pouco acima do ordinário, mas sem se tornarem obscuras. É muito fácil enunciar essas regras, mas é muito difícil segui-las.

CAPÍTULO VI
PREPARANDO E APRESENTANDO UM DISCURSO

1

O único discurso para o qual não é possível qualquer preparação é aquele que, durante um brinde, o anfitrião de um jantar o convida a fazer. Nesse caso, é preciso confiar na própria capacidade e na própria perspicácia. O que compensa, em tais ocasiões, é você poder ter a certeza de que a concisão é bem-vinda e de que o que esperam de você é perspicácia, não sabedoria. O conteúdo de suas observações pode ser um pouco mais longo se sua relevância for indicada.

Alguns falantes se julgam capazes de falar de improviso em outras ocasiões, quando conhecem com bastante antecedência o caráter de seu público e o assunto que foram chamados a abordar. Com exceção do raro gênio que, sem qualquer tipo de lembrete, consegue apresentar um discurso sólido em seu conteúdo, perfeito em sua forma e brilhante em seus aparatos retóricos, o restante de nós agiria sensatamente se passasse por uma cuidadosa preparação.

Tive a oportunidade de conhecer alguns desses gênios — Barbara Ward, por um lado, Adlai Stevenson, por outro, e também Mark van Doren. A força de suas declarações espontâneas era tão grande, que frases eloquentes e parágrafos completos fluíam de seus lábios com a mesma prontidão com que concertos e sinfonias fluíam da caneta do jovem Mozart. Não sei que preparação mental eles faziam antes de falar ou de que maneira eles criavam o discurso em suas mentes antes de apresentá-lo. De qualquer forma, a questão não é como eles faziam isso, pois gênios desse tipo não precisam do auxílio de nada que eu venha a dizer neste capítulo.

Winston Churchill deu a muitos a impressão de ser um orador desse tipo. Ouvi-lo no rádio durante os primeiros dias da Segunda Guerra Mundial foi algo que fiz com espanto, diante do que parecia ser um discurso belamente organizado e eloquentemente apresentado, com todas as hesitações e pausas que indicavam uma improvisação. Havia diversos momentos em que ele parecia procurar pela palavra certa. Porém, a verdade é que, como mais tarde vim a descobrir, aquele discurso fora inteiramente redigido, sendo proferido com tanta destreza que ostentava todas as qualidades de uma declaração espontânea.

Como alcançar exatamente este efeito é o objetivo principal das recomendações que vou fazer neste capítulo. As sugestões que tenho em mente não transformarão nenhum dos que as seguem num Churchill, pois também ele era um gênio ao seu modo. No entanto, acredito que minhas sugestões possam fazer com que um pouco do efeito conseguido por ele seja alcançado durante a apresentação de um discurso.

Como todas as minhas recomendações exigem que, ao se preparar para falar, você de alguma forma escreva o que deseja expor, é de grande importância reconhecer que o que é escrito para ser lido tem um caráter completamente diferente daquilo que é escrito para ser ouvido. A notável diferença entre a escuta e a leitura – a primeira, exigindo que você continue avançando irreversivelmente, seguindo o fluxo do discurso; a outra, permitindo-lhe prosseguir em seu próprio ritmo, avançando e retornando como bem entender com um simples folhear das páginas – exige que você adapte o que for redigido à locução, ao contrário do que é preciso fazer para os leitores.

O escritor de um ensaio ou de um livro deve ter em mente, claro, uma imagem de seus leitores, mas isso raramente é tão decisivo quanto a visão da plateia que o falante espera encarar face a face. Além disso, a palavra escrita para a leitura não vem acompanhada de movimentos corpóreos, de expressões faciais, de modulações de voz, de pausas diferenciais e de todas as outras sutis parafernálias que dizem respeito a uma apresentação oral eloquente. Portanto, ao escrever para leitores, você deve alcançar os efeitos que deseja através de outros meios, enquanto, escrevendo um discurso, você pode e deve redigir suas declarações já imaginando, com antecedência, como as palavras a serem ditas produzirão seu efeito através dos aspectos não verbais de sua apresentação.

Excetuando os gênios já mencionados, as vantagens das quais o restante de nós desfruta ao preparar um discurso por escrito são logo reconhecidas.

Um ensaio ou um livro podem ter o tamanho que quiserem porque seus leitores não são obrigados a absorvê-los de uma só vez. As afirmações orais devem sempre se limitar a um determinado período de tempo. Você talvez venha a saber com antecedência que seus comentários devem ter cerca de meia hora ou menos. Às vezes, podem lhe dizer que você terá direito a falar mais do que isso. Em ambos os casos, é preciso fazer o que for preciso para reter a atenção do público.

Hitler, Mussolini e Stálin podem muito bem ter excedido o limite de tempo exigido pela escuta atenta, mas, por serem quem eram, eles tinham um público cativo. Edmund Burke também proferiu seus grandes discursos ao Parlamento durante mais de uma hora, mas é preciso lembrar que, quando Burke se levantava para falar à Câmara dos Comuns, quase todos os seus membros iam embora. Seus discursos, destinados a ouvintes, acabavam servindo apenas a leitores; talvez ele tivesse consciência disso e fizesse de propósito.

2

Mais uma vez, examinemos a tarefa que se coloca diante de nós, que por alguma razão não somos exceções à regra.

Nós temos trinta minutos ou uma hora para capturarmos a atenção de nossos ouvintes e para usá-la no intuito de esclarecer-lhes, da maneira certa, o conteúdo que queremos expor. Desgraçado é aquele falante comum que se acha capaz de ter sucesso desdenhando de suas limitações temporais. Eu descobri isso após uma experiência triste, mas também engraçada.

Quando, em 1937, durante o primeiro ano do novo curso da Faculdade de St. John's, em Annapolis, Maryland, deixei a Universidade de Chicago a fim de ministrar dez aulas sobre a filosofia de Aristóteles para alunos empenhados na leitura dos grandes clássicos, cometi o erro de achar que o interesse deles no assunto seria tão grande que eu poderia me dar o luxo de lecionar durante o tempo que me fosse necessário para cobrir os tópicos de cada lição. Falando numa velocidade incomumente veloz, precisei de duas horas ou mais para ministrar as aulas, que haviam sido inteiramente redigidas para a locução.

Os pobres estudantes sofreram em silêncio durante todas as lições, julgando que a provação que enfrentavam era uma das inovações exigidas pelo curso em que voluntariamente haviam se inscrito. Logo ficou evidente que não era esse o caso e que eles não deveriam sofrer tamanha maldade. Quando retornei no ano seguinte para ministrar outra série de lições, eles maquinaram formas de me interromper ao fim de uma hora.

Às 21h15 em ponto, uma hora após o início de minha primeira aula em 1938, os alarmes de todos os estudantes, escondidos nas galerias da sala de conferências, começaram a tocar em uníssono. Eu esperei que eles terminassem de tocar e dei prosseguimento à lição.

No segundo encontro, às 21h15, um aluno desligou o interruptor central e deixou a sala às escuras. Eu acendi fósforos no palanque, a fim de ler minhas anotações, e dei continuidade.

Por fim, eu entendi o que eles estavam querendo dizer e reduzi minha lição para que pudesse ser escutada. Desde 1938, minha lição anual na Faculdade de St. John's não tem sido apenas ministrada em mais ou menos uma hora, mas também tem sido acompanhada por uma pegadinha espirituosamente tramada por algum estudante, a qual me diverte tanto quanto aos alunos — uma espécie de memorial ao erro de um palestrante cujos ouvintes conseguiram retificar.

Diante do limite de tempo que nenhum falante deveria se atrever a ultrapassar, deve ficar claro o motivo pelo qual é necessário preparar anotações. Sem elas, estamos fadados a divagar e — em especial se estivermos imersos no assunto — a falar demais, de maneira quase involuntária. Com "divagar", me refiro a nos deixarmos levar por uma ou outra digressão, enfatizando este ou aquele argumento mais do que ele exige ou mais do que seria necessário num discurso bem planejado.

Para adequar todas as partes de um discurso ao tempo que lhe foi designado e para dispô-las nas proporções apropriadas, é preciso maquinar cautelosamente a preleção e ter esse roteiro visível sobre o púlpito, tal como os tantos regentes de orquestra que, no palanque, viram as páginas da partitura que têm à sua frente. Afinal, os regentes que se apresentam sem a partitura geralmente não são os compositores da peça, mas apenas músicos executores com dons notáveis de memorização. Ao contrário, o prelecionador é ao mesmo tempo o compositor do discurso e seu executante.

Se está convencido de que são necessárias anotações à apresentação de um discurso ou de uma preleção, você pode escolher duas formas de redigi-las. Elas podem tanto assumir a forma de um arcabouço redigido em tópicos, e não com frases e parágrafos completos; ou podem consistir no discurso inteiramente escrito, parecendo, portanto, um ensaio pronto para ser publicado.

Em reuniões de grupos instruídos ou em associações acadêmicas, os discursos são geralmente apresentados dessa última forma. O falante sabe com antecedência que deverá enviar o discurso, tal como foi apresentado, para publicação, seguindo os procedimentos da conferência. Qualquer pessoa que já esteve em algum desses encontros sabe o quão insuportáveis são essas preleções ou discursos, e são poucos os presentes – talvez nenhum – que os escutam com muita atenção, pois sabem que o conteúdo transmitido, se for digno de ser considerado, poderá ser lido de maneira muito mais proveitosa depois. É quase impossível acompanhar o discurso escrito em forma de ensaio, e ele raramente, quiçá nunca, merece o gigantesco esforço empregado para lhe dar uma atenção contínua.

No extremo oposto, encontra-se a outra forma de preparação escrita, o breve arcabouço esboçado em tópicos. Quanto mais breve, mais essencial e mais resumido, melhor. Quando proferi meu primeiro discurso sobre como ler livros para ex-alunos da Universidade de Chicago, lancei mão de anotações feitas sobre os dois lados de uma mera ficha. Com essas notas diante dos olhos, pude abordar em uma hora o que acabou se tornando um tratado sobre o assunto, publicado num livro com mais de trezentas páginas.

Se é assim, por que não recomendo sempre essa forma de preparação? Minha resposta é que ela só serve a alguns assuntos – assuntos que podem ser tratados ordenadamente pelo falante, que domina por completo todos os elementos do tema necessários para isso. Além disso, ela só funciona direito se, de tanto falar sobre a questão, a mente do falante se encontra impregnada de todas as palavras, expressões e frases necessárias para que seu pensamento acerca do tema seja exposto de maneira clara, sistemática e convincente.

Porém, se a preparação de determinada preleção ou discurso envolve um pensamento original do falante sobre o assunto selecionado; se esse pensamento exige que o falante formule em linguagem adequada os julgamentos que se formam em sua mente pela primeira vez; e se o falante não possui, como poucos de nós possuímos, a enorme capacidade de memorização necessária para rememorar essa linguagem de maneira eficiente, sem errar ou gaguejar ao ser guiado por uma ou duas páginas de tópicos, então é melhor que ele ou ela tenha algo maior do que um esboço desses.

3

Dessa forma, deveria o falante retornar para o outro extremo, aquele que rejeitei como sendo insuportavelmente enfadonho – o discurso todo redigido que é recitado em voz alta e que seria lido de maneira muito mais adequada em silêncio? Existe um meio-termo entre esses dois extremos? Acredito que sim, e foi ele que Churchill empregou quando falou de maneira tão eficaz, como se estivesse improvisando um discurso que, na verdade, fora inteiramente redigido.

Esse meio-termo consiste em registrar frases completas – isoladas ou não – na forma de um esquema feito com o espaçamento, as subordinações e os recuos apropriados. A aparência de uma folha dessas é bastante diferente da aparência de uma folha repleta de longos e sucessivos parágrafos em prosa. Devido ao espaçamento, às subordinações e aos recuos desse esquema, e em especial devido ao laconismo de cada linha anotada, que possui amplas margens dos dois lados e que, por isso, pode ser consultada com um simples relance, você pode tirar os olhos da página e fingir que está falando sem utilizar notas ou usando apenas tópicos.

Quando um discurso é redigido por completo, numa sucessão de longos parágrafos, simplesmente não há como proferi-lo sem que o falante pareça estar lendo um manuscrito, com todos os desafetos que isso acarreta. Tirando o olhar da folha à sua frente para encarar o público, você provavelmente se perderá e hesitará até descobrir onde estava.

O meio-termo que agora recomendo – o discurso inteiramente esquematizado que possui apenas uma ou duas frases em cada uma de suas linhas – evita a aparência de que o leitor está lendo e lhe permite ter o controle completo do que está falando pela primeira vez. Ele também lhe fornece uma cronometragem precisa, pois é possível saber, a partir de experiências passadas, quantas das páginas esquematizadas podem ser abordadas em cerca de uma hora, o que impede que seu limite temporal seja excedido. Além disso, é possível destinar com exatidão partes desse tempo às sucessivas partes de seu discurso, evitando digressões ou excursões por este ou aquele tema – algo que consome muito tempo e que pode deixar pouco espaço para questões que precisam de mais.

4

Até agora, a descrição que fiz do meio-termo entre o breve arcabouço em tópicos e o ensaio que é inteiramente redigido e que só pode ser lido talvez não seja suficiente para comunicar de maneira concreta o que tenho em mente. A única forma de remediar isso é incluindo neste livro um exemplo claro da artimanha que estou recomendando.

Tal exemplo foi incluído aqui no Apêndice I. Nele, você encontrará um discurso que proferi, no ano passado, durante a reunião anual da Associação Norte-Americana de Cirurgiões Neurológicos.

Eu havia sido convidado para ministrar o que eles chamavam de Oração em Memória de Harvey Cushing. Escolhi, como tema, um assunto que julguei adequado à ocasião: a relação da mente com o cérebro, levando em consideração os anjos, os seres humanos, os animais selvagens e também as máquinas vistas como encarnações da inteligência artificial.

Embora eu já tivesse escrito livros intimamente relacionados ao assunto – um deles, *The Difference of Man and the Difference It Makes* [A Diferença do Homem e a Diferença que Ela Faz], alguns anos atrás; e o outro, *Os Anjos e Nós*, há muito pouco tempo –, a peculiaridade daquela ocasião, assim como a de seu público, levou-me a repensar o que queria dizer e a reformular linguisticamente meu pensamento, de modo a comunicá-lo de maneira eficaz.

Dessa forma, empreguei o que chamei de meio-termo entre os dois extremos da preparação escrita de uma preleção. Eu escrevi o que desejava apresentar em frases completas, mas coloquei-as no papel esquematizadamente, para que pudesse dizê-las sem parecer estar lendo um ensaio. Consulte o Apêndice I, veja como isso é feito e descubra por que funciona da maneira que descrevi.

A preleção esquematizada que você encontrará lá pode ser instrutiva de outras formas. Ela exemplificará, segundo penso, muitas das afirmações que fiz no capítulo anterior acerca do papel desempenhado pelos cinco fatores ou elementos de uma preleção que procura ser persuasiva, instrutiva e também suportável – aqueles fatores ou elementos indicados pelas cinco palavras gregas: *ethos, pathos, logos, taxis* e *lexis*. Você poderá encontrá-las lá, na minha Oração em Memória de Harvey Cushing. O que você não verá, é claro, são os gestos do meu corpo, minhas expressões faciais, as modulações de minha voz e as pausas que acompanharam a apresentação oral do texto.

5

Eu até agora não mencionei os primeiros estágios da preparação de um discurso esquematizado. Os passos iniciais que eu mesmo sigo ao prepará-lo serão abordados agora. Em primeiro lugar, eu refresco minha memória para poder recordar do que antes pensava sobre o assunto, o que, neste caso, pode ser encontrado em livros ou ensaios já escritos e publicados. Em seguida, pego um grande bloco amarelo e, sob o título "Observações aleatórias", anoto qualquer pensamento novo que passe pela minha cabeça, em qualquer ordem, quase como num processo de livre associação. Posso vir a encher várias páginas com essas observações aleatórias.

Meu próximo passo é examinar essas notas e descobrir que pontos se relacionam entre si, assim como a forma pela qual eles se vinculam para formar uma unidade maior. Tendo isso em mente, coloco no papel um breve arcabouço do discurso, indicando em tópicos o que deve ser abordado na introdução, o que deve constituir as três ou quatro seções principais e o que deve ser deixado para a peroração ou conclusão.

Feito isso, estou pronto para redigir o discurso integralmente, na forma esquematizada que o Apêndice I exemplifica. Quando ele estiver impecavelmente digitado para a minha leitura, posso revisá-lo uma ou duas vezes antes de sua apresentação, e frequentemente a experiência de proferi-lo me leva a revisá-lo de novo antes de colocá-lo em meu arquivo para um possível uso posterior, em ocasiões apropriadas.

Eu sempre me surpreendo com aquilo que se pode aprender com um discurso, coisas impossíveis de serem descobertas antes de sua apresentação. A reação que você obtém de seu público indica um pouco do que deve ser feito para o discurso ser aprimorado. Determinado desconforto sentido na apresentação de hoje chama a sua atenção a fatores que devem ser mudados para tornar a apresentação mais confortável.

A reação da plateia é um ingrediente essencial em toda essa atividade expressiva. O que você vê no rosto ou nos olhos de seus ouvintes revela de forma quase imediata se você está conseguindo ser claro, e que outros efeitos estão em atuação. Essa resposta é indispensável à fala eficaz.

Por isso é que é sempre inteligente insistir no tipo de iluminação que revela seus ouvintes com nitidez. Os auditórios muitas vezes são iluminados de forma a deixar o falante em evidência e o público, no escuro. Sem ver e até mesmo sentir, através das antenas do falante, o que está acontecendo, você poderia muito bem estar falando para uma sala vazia.

Existem outros cuidados aos quais o falante deve atentar ao vistoriar o local de sua apresentação. Estará ele adequadamente iluminado? O palanque ou púlpito tem a altura certa, com luz o suficiente para que as anotações possam ser consultadas? O sistema de som funciona sem apresentar ruídos ou outros barulhos? Quais são as propriedades acústicas da sala que devem nortear o nível de decibéis de seu discurso?

Sempre que possível, tudo isso deve ser visto com antecedência. Descobrir em cima da hora que as condições físicas necessárias não estão sendo satisfeitas como deveriam talvez impeça que os defeitos sejam corrigidos a tempo.

6

Outra precaução deve ser tomada. Os falantes às vezes são convidados para jantares festivos antes de se dirigirem ao público. Eles às vezes precisam falar com a imprensa sobre a preleção antes de ministrá-la. De uma forma ou de outra, o falante pode ser levado a apresentar seu discurso antes do momento combinado. Esses são entraves que devem ser evitados a todo custo.

É preciso se esquivar à abordagem do assunto escolhido até que se esteja sobre a plataforma, no palanque, pronto para começar. Se não tem como evitar conversas sobre outros temas nos momentos que antecedem a preleção, você ao menos deve insistir em ter dez ou quinze minutos de solidão e silêncio antes de a cortina ser alçada. Isso pode lhe ajudar a recuperar a energia vocal e intelectual exigidas pela apresentação que está prestes a começar.

Ao responder a convites que perguntavam o quanto gostaria de receber por sua fala, Mark Twain, em sua época pré-inflacionária, costumava dizer que queria 250 dólares pela apresentação, mas que o preço dobraria se sua presença fosse exigida no jantar anterior ao discurso.

Muito do que eu disse sobre a apresentação realizada na presença do público também se aplica à apresentação realizada aos que o assistem diante da televisão e até à apresentação gravada para ser televisionada posteriormente. O uso do *teleprompter* substitui as notas sobre o púlpito. Quando esse instrumento é utilizado com destreza, de modo que seu emprego passe despercebido pelos espectadores, suas declarações parecem espontâneas e não ensaiadas, o que é muito cativante para os ouvintes.

Na televisão, seja numa transmissão ao vivo, seja numa transmissão previamente gravada, o falante desfruta de uma vantagem indisponível àquele que se encontra numa sala de conferências. Ao olhar diretamente para a câmera, ele ou ela estará olhando diretamente nos olhos de cada um que está diante da TV. Quando alguém nos olha diretamente nos olhos, em geral consegue reter nossa atenção. É indelicado desviar o olhar.

Numa sala de conferências ou num auditório, por melhor que seja sua iluminação, o falante não pode olhar diretamente nos olhos de todos os presentes.

Você pode se concentrar numa pessoa ou num pequeno grupo, mas seus olhos devem percorrer todo o local durante a fala, e por isso os membros da plateia podem afastar o olhar de você quando você não os estiver encarando.

Há também uma grande desvantagem em apresentar um discurso pela televisão. Você fica no escuro. Você sabe que os espectadores estão lá, mas não tem como ver seus semblantes, sentir sua presença, distinguir os movimentos do corpo ou as expressões faciais que revelam sua desatenção ou sua arrebatada concentração. Portanto, falar para um público que não oferece qualquer resposta desse tipo é muito mais difícil do que ficar cara a cara com os ouvintes.

Terceira parte

Escuta silenciosa

CAPÍTULO VII
Com o ouvido da mente

> *Todos, quando jovens, têm um pouco de gênio; quero dizer, eles de fato escutam. São capazes de escutar e falar ao mesmo tempo. Em seguida, tornam-se um pouco mais velhos, e muitos se cansam e escutam cada vez menos. No entanto, alguns, muito poucos, continuam a escutar. Estes finalmente ficam muito velhos e passam a não escutar mais. Isso é muito triste; não falemos do assunto.*
>
> — Gertrude Stein, segundo relato de Thornton Wilder

1

Nossos ouvidos não têm nada que se compare às pálpebras, mas também podem ser devidamente fechados. Em determinadas ocasiões, ambos se fecham ao mesmo tempo, mas o que frequentemente ocorre é o ouvido ser desligado enquanto os olhos ainda estão abertos. Isso pouco importa se, em ambos os casos, a atenção da mente estiver direcionada a algo que se encontra além das questões ouvidas ou vistas. O que os sentidos registram, nesse caso, são sons e cenas sem qualquer significado.

Como a leitura, a escuta é, antes de mais nada, uma atividade da mente, e não do ouvido ou dos olhos. Quando a mente não está envolvida de forma ativa no processo, ele deve ser chamado de audição, e não de escuta; de visão, e não leitura.

O erro mais comum acerca da escuta e da leitura é achar que elas são recepções passivas, e não uma participação ativa. As pessoas não cometem esse equívoco diante da escrita e da fala. Ao contrário, reconhecem que escrever e falar envolvem gastos de energia, uma concentração infatigável e o esforço de alcançar a mente de outrem através da comunicação escrita ou oral. Elas também reconhecem que certas pessoas têm mais talento para essas atividades do que outras, e que tal talento adicional pode ser adquirido se elas prestarem atenção às regras da arte e as colocarem em prática, de modo que seu hábil desempenho se torne natural.

Segundo assinalei em *Como Ler Livros*, a primeira lição a ser compreendida acerca da leitura é que ela – feita com a mente, e não apenas com os olhos – deve ser tão ativa quanto a escrita. A leitura passiva, que quase sempre se dá com o movimento dos olhos, mas sem o envolvimento da mente, está longe de ser uma leitura.

Ler dessa maneira equivale a assistir televisão para relaxar ou apenas para passar o tempo, deixando as imagens passarem diante de seus olhos. O hábito de assistir TV dessa forma, endêmica entre os jovens que passam horas diante da tela num estado de sonolência intelectual, transforma-os em leitores passivos que viram as páginas de um livro prestando pouca, ou nenhuma, atenção ao significado das palavras ali contidas, assim como à estrutura e à direção do discurso da obra.

Deixem-me repetir uma analogia que já utilizei em outra ocasião. No beisebol, o recebedor localizado atrás da base é um jogador tão ativo quanto aquele que lança a bola. O mesmo acontece com o receptor no futebol americano, que recebe o passe do lançador. Receber a bola, em ambos os casos, exige que eles se esforcem para completar a jogada. Assim como arremessá-la, agarrar a bola também é uma atividade, exigindo para isso o mesmo talento, ainda que de um tipo diferente. Sem os esforços complementares de ambos os jogadores, que devem estar numa sintonia adequada, a jogada não pode ser concluída.

Na comunicação pelas palavras, algo análogo acontece. Ela só ocorre se a mente do leitor ou do ouvinte se esforçar para receber o que se encontra na mente do escritor ou do falante. Esse conteúdo é transmitido pelo emprego de palavras escritas ou faladas. Se usamos apenas os olhos ou os ouvidos para assimilá-las, não empregando nossas mentes para ultrapassá-las e chegarmos à mente que as produziu, não colocamos em prática a atividade que é essencial tanto para a leitura quanto para a escuta. O que resulta disso é uma comunicação malsucedida, um desperdício completo, uma perda de tempo.

Obviamente, a culpa nem sempre pode recair sobre o leitor ou o ouvinte. Não conseguir pegar uma bola lançada com selvageria não é um erro do recebedor. Da mesma forma, alguns textos e algumas declarações orais são tão desprovidos de sentido e de coerência, ou tão confusos e perturbadores no uso de suas palavras, que nem o melhor leitor ou ouvinte consegue decifrá-los. Alguns deles são apresentações tão fracas do que está na mente do escritor ou do falante que sequer vale a pena lhes dar alguma, ou qualquer, atenção.

Ao examinar o esforço e a habilidade necessários para uma escuta ativa e eficaz, partirei do pressuposto de que as declarações faladas merecem uma atenção cuidadosa e de que recompensarão todos os esforços empregáveis e toda a habilidade disponível para o seu acompanhamento, a fim de que seja alcançado um grau de compreensão que se aproxima da compreensão desejada pelo falante.

Por agora, podemos ignorar as diferenças existentes entre o papo de vendedor e a preleção, tanto no que diz respeito ao seu objetivo quanto ao seu estilo. Mais adiante, iremos analisar como, no primeiro caso, os ouvintes precisam se prevenir contra os truques de persuasão capazes de surgir durante o esforço empregado para que algo lhes seja vendido, para a obtenção de apoio a alguma política ou candidato ou, ainda, para convencê-los a tomar alguma decisão administrativa que oriente os negócios de determinada maneira. Da mesma forma, ao abordar o segundo caso, precisaremos analisar como os ouvintes têm de ser ao mesmo tempo dóceis e críticos, mostrando-se predispostos a aprender e não indiferentes ao que está sendo ensinado, ao mesmo tempo que não devem engolir tudo o que lhes for exposto.

2

A importância da escuta geralmente é reconhecida. Também é geralmente reconhecido que, das quatro operações envolvidas na comunicação pelas palavras – a escrita, a leitura, a fala e a escuta –, a última delas raramente é bem realizada.

Ninguém que se esforçasse para pensar no assunto hesitaria em confessar que, independentemente do grau de habilidade adquirido na escrita, na leitura e na fala, ele foi menor – ou até inexistente – com relação à escuta. Se questionado o porquê, talvez recebamos como resposta que o ensino da escrita fizera parte de sua educação e que alguma atenção, embora muito menor (num grau ao mesmo tempo impressionante e chocante), também foi dada ao desenvolvimento das habilidades de leitura e fala. Quase nenhuma atenção foi destinada à habilidade da escuta.

Outra resposta podemos obter da pessoa que revela a equivocada impressão de que escutar se resume a ficar quieto enquanto alguém fala. Boas maneiras podem ser exigidas, mas não muita habilidade.

Todos nós devemos muito à Sperry, importante empresa norte-americana, pela campanha que conduziu – tanto através de propagandas impressas quanto da distribuição de panfletos – para neutralizar a apatia e os mal-entendidos existentes a respeito da escuta. A Sperry também destinou tempo e fundos para desenvolver cursos de escuta e para disponibilizá-los a todos os seus funcionários, pois, na visão da empresa, os defeitos na forma de escutar e os problemas de comunicação que deles se seguem são a maior fonte de perda de tempo, de atividades ineficazes, de planos fracassados e de decisões frustradas em todas as etapas de seus negócios.

Num dos panfletos da Sperry, lemos que, das quatro atividades básicas da comunicação, é a escuta a primeira a ser assimilada durante o desenvolvimento da criança, a mais usada ao longo da vida (46% do tempo) e a menos ensinada durante todos os anos da formação escolar.

Em contraste, a fala é a segunda a ser assimilada no processo de desenvolvimento, sendo praticada durante 30% de nosso tempo de vida e não sendo quase abordada nas escolas, tal qual a escuta. Aprendemos a ler antes de escrever, e a atividade da leitura é empregada com mais frequência do que a da escrita (15% do tempo, em oposição a 9%). Ainda assim, menos instrução é destinada à leitura do que à escrita.

Sendo possível ou não questionar esses fatos e números, certamente é verdade que as habilidades da fala e da escuta são muito menos desenvolvidas na população como um todo do que as habilidades da escrita e da leitura. Por mais pobre que seja o desempenho médio de nossos colegiais e diplomados na escrita e na leitura (e seria difícil exagerar sua fraqueza nessas atividades fundamentais), ele é muito mais deficiente na fala e na escuta, a qual de todas é, sem dúvida, a pior.

O panfleto da Sperry a que tenho me referido lista uma série de hábitos que interferem na escuta eficaz ou que a depreciam. Entre eles encontra-se o de prestar mais atenção aos maneirismos do falante do que ao conteúdo do que é dito; o de se mostrar atento ao falante enquanto a mente fica livre para divagar sobre outras coisas; o de permitir todos os tipos de distração, a fim de afastar a própria atenção do falante e do discurso; o de reagir de forma exagerada a palavras ou expressões que causem respostas emocionais adversas, de forma que se fique inclinado a prejulgar negativamente o que o falante de fato diz; o de permitir uma falta de interesse inicial no assunto, impedindo a si mesmo de escutar o porquê de ele ser importante e interessante; e, o pior de todos, o de encarar a ocasião de escuta como uma simples oportunidade de divagar, não prestando atenção em nada.

Para superar esses vícios, os quais todos já detectamos em outras pessoas, se não em nós mesmos, o panfleto da Sperry lista em seguida "dez segredos para uma escuta eficaz". Muitas dessas recomendações nada mais são do que incentivos para superar ou eliminar os maus hábitos que representam obstáculos para uma boa escuta.

Das poucas recomendações positivas, todas dizem respeito ao uso da mente no ato de escutar. Esse, claro, é o xis da questão. Porém, não basta dizer que a mente deve estar ativamente envolvida na escuta, que suas percepções não devem ser obscurecidas por emoções irrelevantes, que o esforço mental empregado deve ser equivalente à tarefa imposta pela dificuldade ou complexidade do assunto abordado.

Da mesma forma, não basta dizer que o ouvinte deve ao menos ser intelectualmente cortês, presumindo que aquilo que está sendo dito é importante e interessante o suficiente para ganhar sua atenção. O falante pode não confirmar essa suposição, mas no início ele deve ser ouvido com uma mente aberta e atenta.

3

O que mais pode e deve ser dito para que regras positivas sejam estabelecidas e, caso aplicadas, desenvolvam os hábitos de uma escuta eficaz?

Minha resposta é que essas regras são essencialmente iguais às da leitura eficaz. Isso não deve surpreender. Os dois processos são semelhantes naquilo que exigem da mente.

Em ambos, a mente do receptor – o leitor ou ouvinte – deve ultrapassar de alguma forma as palavras usadas, a fim de chegar ao pensamento que se encontra por trás delas. Os obstáculos que a linguagem coloca ao entendimento devem ser superados. O vocabulário do falante ou do escritor poucas vezes, quiçá nunca, é igual ao vocabulário do ouvinte ou do leitor. Os dois últimos devem sempre se esforçar para alcançarem um significado que pode ser expresso por outros vocábulos. O ouvinte deve chegar a um acordo com o falante tanto quanto o leitor deve chegar a um acordo com o escritor. Isso, na realidade, significa descobrir o que a ideia diz independentemente da forma como é ela expressa.

Tanto na escuta quanto na leitura, é preciso atentar para as declarações que transmitem os principais argumentos expressos pelo falante ou pelo escritor. Nem tudo o que é dito ou escrito tem a mesma importância. Na maioria das dissertações, sejam elas faladas ou escritas, o número de proposições de fato importantes é relativamente pequeno. O ouvinte, tal qual o leitor, deve identificá-las e ressaltá-las em sua mente, separando-as das observações contextuais que sejam intersticiais, transicionais ou apenas desenvolventes e amplificantes.

Assim como acontece com um documento escrito, seja ele pequeno ou não, o discurso a que se escuta é um conjunto dividido em partes. Se é digno de ser ouvido, sua estrutura (a maneira como as partes estão dispostas para formar o todo) e sucessão serão claras e coerentes. Portanto, à semelhança do que ocorre com o leitor, o ouvinte deve se esforçar para perceber a relação e a sequência dos segmentos que constituem o conjunto.

Com o escritor, o falante age com um propósito ou intuito abrangente e regulador, o qual controla o conteúdo e o estilo do que está sendo apresentado. Como na leitura, quanto mais cedo o ouvinte perceber o foco desse propósito ou intuito, melhor conseguirá diferenciar o que possui muita e o que possui pouca relevância no discurso a ser compreendido.

Entender o que o falante está tentando expressar; perceber de que forma ele ou ela o faz; e distinguir as razões e os argumentos propostos a fim de que sua conclusão seja adotada são atitudes indispensáveis para a escuta eficaz, assim como para a leitura. Porém, isso nunca é o suficiente. No que diz respeito a tudo o que é compreendido, seja pela leitura, seja pela escuta, é sempre necessário analisar nossa própria posição – se concordamos ou discordamos com o que foi dito.

Podemos nos julgar incapazes de fazer isso quando reconhecemos que não foi falado o suficiente para justificar um acordo ou um desacordo. Outra justificativa para a nossa falta de assentimento pode ser o desejo de elucidações ou argumentos que ainda não foram disponibilizados. Em ambos os casos, o ouvinte crítico, tal qual o leitor crítico, deve suspender temporariamente o seu julgamento, retomando a questão em outra ocasião.

4

Em *Como Ler Livros*, apresentei as regras necessárias para a leitura adequada de um livro que, por seu conteúdo e estilo, merece uma atenção cuidadosa. Em primeiro lugar, expus regras para a análise da estrutura da obra como um todo e da disposição ordenada de suas partes. É preciso saber do que se trata todo o livro e como cada uma de suas partes contribui, sucessivamente, para a relevância do conjunto.

Em segundo lugar, apresentei regras para a interpretação do conteúdo do volume: distinguir as principais expressões do vocabulário conceitual do autor; identificar suas principais proposições e contendas; reconhecer os argumentos empregados para corroborar ou defender essas proposições; e observar os problemas resolvidos pelo livro e os problemas que ficaram em aberto, fosse isso do conhecimento do autor ou não.

Depois, expus como criticar o livro pela indicação dos assuntos que o escritor parecia desconhecer ou sobre os quais aparentava estar desinformado; pelo registro do que pareciam ser erros de raciocínio gerados por premissas ou hipóteses aparentemente válidas; e pela observação das circunstâncias em que o exame ou o argumento do autor parecia incompleto.

Como já foi afirmado, essas regras obviamente se destinam à leitura de um livro importante – ou melhor, de um clássico –, para o qual, em virtude dos benefícios que oferece, se está disposto a dedicar muito tempo e muito esforço.

Porém, por mais importante ou longo que seja, nenhum discurso tem a magnitude ou a complexidade de um livro importante ou de um clássico. Dessa forma, as regras da leitura devem ser simplificadas e adaptadas às limitações que o discurso oral apresenta em relação ao escrito.

Além disso, é possível dedicar uma quantidade ilimitada de tempo à leitura e releitura de determinada obra, a fim de melhorar sua compreensão e de determinar a postura crítica do leitor diante dela.

Ao contrário da leitura, o ato de escutar está sujeito aos limites temporais. Só podemos ouvir uma vez o que está sendo dito, e o ritmo de nossa escuta é determinado pelo ritmo imposto pelo falante. Não podemos interrompê-lo para pedir que repita algo dito anteriormente, mas podemos interromper a leitura de um livro para consultarmos novamente uma página já lida. Nós não podemos levantar a mão para mandar o falante parar enquanto ponderamos algo que ele acabou de dizer, mas podemos deixar o livro de lado pelo tempo que quisermos quando desejamos pensar no que acabou de ser lido.

Ainda outras coisas tornam a escuta ativa muito menos comum do que a leitura ativa. Você não precisa fazer qualquer esforço muscular para ouvir, ao contrário do que faz para segurar um livro com as mãos. Isso ao menos dá ao leitor a aparência de estar fazendo alguma atividade. Você não precisa manter os olhos abertos para escutar, mas precisa fazer isso para no mínimo dar a impressão de que está lendo. Você pode estar completamente passivo, com os olhos fechados e a mente desligada, e ainda assim fingir que está à escuta.

Todas essas diferenças entre a escuta e a leitura não apenas explicam por que a escuta eficaz é muito mais complicada do que a leitura eficaz; elas também exigem um conjunto de regras muito mais simples para nos guiar no uso ativo de nossas mentes, a fim de que consigamos realizar uma boa escuta.

O bom leitor é, em essência, um leitor exigente. E um leitor exigente é aquele que, formulando perguntas enquanto lê, continua desperto durante a leitura. Na leitura, a passividade, que realmente torna o processo algo nulo e vazio, consiste em usar os olhos para ver as palavras, mas não em usar a mente para compreender seu significado.

Tal como o bom leitor, o bom ouvinte é o ouvinte rigoroso, aquele que, trazendo em sua mente perguntas sobre o discurso ouvido, permanece desperto durante a escuta.

Em outra ocasião, já tive a oportunidade de formular as quatro principais perguntas que o leitor exigente deve fazer diante de tudo o que for digno de uma boa leitura – seja para proveito próprio, seja por diversão, e não apenas para passar o tempo ou para dormir. Não tentarei adaptá-las à escuta de um discurso.

Escutar um discurso ou qualquer outra forma de declaração falada equivale, com relação ao tempo exigido, a ler um artigo ou um ensaio, e não um livro inteiro. Tal como um artigo ou um ensaio, o discurso será mais curto e mais simples em seu conjunto, com uma organização menos complexa de suas partes. Portanto, as perguntas que devem ser feitas durante a escuta de um discurso podem ser mais simples do que as perguntas recomendadas durante a leitura de um livro. São elas:

1. *Do que trata o discurso como um todo?* O que, em essência, o falante está tentando dizer, e como o diz?
2. *Quais são as ideias, as conclusões e os argumentos principais ou centrais?* Quais são as expressões utilizadas especialmente para exprimir essas ideias e para exprimir as conclusões e argumentos do falante?
3. *As conclusões do falante são consistentes ou equivocadas?* Elas encontram um bom respaldo em seus argumentos, ou esse respaldo é, de alguma forma, inadequado? O raciocínio do falante foi longe demais ou trazia questões relevantes ao propósito controlador não mencionado?
4. *E daí?* Que consequências acompanham as conclusões que o falante quer adotadas? Que importância ou significado elas têm para mim?

É possível ter em mente todas essas perguntas enquanto se escuta, mas a maioria de nós diria ser impossível tentar respondê-las diante de uma fala em curso. Ainda assim, respondê-las depois, enquanto se reflete sobre o que foi ouvido, é um complemento indispensável à escuta. Se essas perguntas não podem ser respondidas durante a fala, isso deve ocorrer em retrospecto, durante a reflexão acerca do que foi ouvido.

A leitura ativa de um longo livro, ou até mesmo de um pequeno ensaio, exige mais do que a combinação do uso perseverante da mente com a maior atenção que ela pode dispensar. Essa leitura raramente pode ser realizada sem o uso de uma caneta ou de um lápis, seja para marcar o próprio livro, escrevendo nas margens ou na contracapa, seja para fazer anotações num bloco ao lado da obra, sobre a escrivaninha.

Como é intrinsecamente mais difícil escutar um discurso ou qualquer outra forma de apresentação do que ler um livro ou um ensaio, torna-se ainda mais necessário o uso de um lápis ou de uma caneta no processo. A escuta habilidosa envolve uma hábil capacidade de fazer anotações, tanto durante o discurso quanto após o seu termo, quando se revisa as notas e se reflete sobre elas. Em seguida, o ouvinte precisa fazer outra série de anotações, a qual registra melhor o que foi dito e como esse conteúdo influenciou sua mente.

Em *Como Ler Livros*, eu reconheci o fato de que, embora em geral poucos de nós leiam bem o suficiente, cada um pode realizar um bom trabalho em determinados contextos, quando as apostas são altas o bastante para obrigar o empenho necessário. Para exemplificar o que tinha em mente, eu escrevi o seguinte:

> Um aluno geralmente superficial pode ler bem por alguma razão específica. Os acadêmicos, tão superficiais quanto todos nós em suas leituras, muitas vezes realizam um trabalho cuidadoso quando o texto se encaixa em sua restrita área de atuação, em especial se suas reputações estiverem vinculadas ao que disserem. Em casos relevantes para a sua prática, um advogado provavelmente fará uma leitura analítica. Um médico pode ler, de maneira semelhante, relatórios clínicos que descrevem sintomas nos quais ele hoje está interessado. Porém, esses dois homens cultos podem não fazer o mesmo esforço em outros campos ou em outras situações. Até mesmo o comércio assume o ar de profissão erudita quando seus entusiastas são chamados a examinar extratos financeiros ou contratos. (...)
>
> Considerando os homens e as mulheres de maneira geral, à parte de suas profissões ou ocupações, só consigo pensar em uma ocasião em que eles dão tudo de si, esforçando-se para ler de maneira extraordinária. Quando estão apaixonados e leem uma carta de amor, eles o fazem da

melhor forma possível. Eles leem cada palavra três vezes; leem nas entrelinhas e nas margens; leem o todo em função das partes e cada parte em função do todo; eles ficam sensíveis ao contexto e às ambiguidades, às insinuações e deduções; percebem a coloração das palavras, o odor das expressões e o peso das frases. Podem até levar em conta a pontuação. Então, como nunca antes ou depois, eles leem.

O que se aplica à leitura se aplica igualmente à escuta. É fácil imaginar ocasiões nas quais todos farão o esforço exigido por uma leitura atenta, comparável à leitura extraordinariamente perceptiva de uma carta de amor. Um exemplo deve bastar. Outros podem ser visualizados prontamente.

Você é o passageiro de um avião que está sobrevoando o oceano. O piloto vai até o interfone e diz: "Aqui é o comandante, falando diretamente da cabine. Seremos forçados a fazer um pouso de emergência dentro de vinte minutos. Descreverei os procedimentos e os prepararei para isso. Por favor, escutem com atenção. Quando eu terminar, os comissários de bordo percorrerão o corredor. Haverá tempo o suficiente para que vocês façam as perguntas necessárias. Não entrem em pânico. Se as instruções forem compreendidas e seguidas, não haverá feridos ou mortos".

Nesse caso, você não escutaria com uma atenção interessada o que fosse dito, tentando entender tudo perfeitamente? E, se não conseguisse fazer isso, não procuraria fazer perguntas claras e escutar as respostas fornecidas?

CAPÍTULO VIII
Escrevendo durante e após a escuta

1

De todas as obras que escrevi, *Como Ler Livros* foi a que recebeu o maior número de reimpressões desde o seu lançamento, em 1940; a que alcançou um público mais amplo; e a que mais me alegrou com as manifestações de apreço de seus leitores. Essa obra tornou suas leituras mais proveitosas e agradáveis, e, abrindo-lhes as páginas dos grandes clássicos, forneceu-lhes também uma atividade para toda a vida.

De todos os artigos que escrevi, nenhum foi reimpresso com mais frequência em antologias ou livros escolares do que um que redigi em 1941 para o *The Saturday Review*, intitulado "How to Mark a Book" [Como Marcar um Livro]. *Como Ler Livros* insistia na necessidade de usar a própria mente de maneira ativa durante a leitura, a qual deveria ser sempre realizada com um olhar inquisitivo. Isso pode ser feito sem uma caneta, um lápis ou um bloco, mas a melhor forma de garantir que sua leitura seja sempre ativa é fazendo anotações a cada página – não enquanto estiver na cama ou numa poltrona, mas à mesa ou à escrivaninha.

Tomar notas durante a leitura é muito útil – e certamente recomendável a qualquer um que, por descuido, retorne à leitura passiva –, mas não é completamente necessário. Pode não ser preciso anotar nada se o discurso a que se ouve for suficientemente breve. Porém, se ele promete ser bastante longo e complexo, é bom que você leve lápis e papel para usar durante a apresentação. A não ser que você possa confiar em sua memória como a maioria de nós não pode, eu recomendaria a tomada de notas, mas apenas se o discurso apresentar conteúdo e relevância dignos do seu esforço.

Escrever durante a escuta é produtivo e desejável. Falar, por sua vez, é contraproducente.

As anotações realizadas registram como você usou sua mente para compreender o que foi dito. Esse registro lhe permite dar o segundo passo, que é, para mim, tão importante quanto o de escutar. O que foi anotado durante o discurso, junto ao que sua memória conserva dele, lhe fornece temas para reflexão.

O raciocínio que em seguida é feito deve levá-lo a um segundo grupo de notas, tomadas de modo muito mais ordenado, abrangente e crítico. Essas anotações finais completam a tarefa da escuta ativa. Você mostra que usou sua mente da melhor forma possível diante daquilo que, no discurso, foi considerado digno de atenção e de comentários.

A principal diferença entre os dois grupos de notas é que o primeiro deve ser feito no ritmo ditado pelo falante, enquanto o segundo pode ser cronometrado ao seu critério. Além disso, a ordem do que você coloca no papel durante a escuta é determinada pela ordem do que está sendo dito, enquanto, no segundo grupo de notas, você se encontra completamente livre para ordená-las da forma que melhor lhe ajude a chegar à essência do discurso e a expressar sua própria reação a ele.

Existem aqueles que, para ganhar tempo, procuram fazer durante a escuta o que deveriam deixar para os momentos posteriores de reflexão. Eles tentam anotar suas reações ao que está sendo dito ao mesmo tempo em que procuram registrar o que o falante parece dizer. Isso não apenas reduz a precisão do registro, mas também os impede de ouvir muito do que foi falado. Tão preocupados estão com seu próprio pensamento que prestam pouca atenção aos pensamentos expressos pelo locutor.

Mesmo que você não complete a tarefa da escuta fazendo, após a devida reflexão, um segundo grupo de anotações, não cometa o erro de misturar o registro do que está sendo dito com as suas reações. Os ouvintes que estão mais interessados em se expressar do que em atentar para o que alguém quer dizer são ouvintes muito pobres – eles na verdade gostariam de estar fazendo o discurso, e não ouvindo.

Em capítulos anteriores, eu dividi os discursos ininterruptos, tanto os longos quanto os curtos, em discursos que procuram influenciar a conduta dos ouvintes, persuadindo-os a fazer algo, e em discursos que procuram influenciar suas mentes, proporcionando-lhes mais conhecimento, modificando suas perspectivas ou fazendo-os pensar de outra forma.

Para o primeiro grupo, eu usei as expressões "papo de vendedor" e discurso persuasivo, valendo-me de "preleção" e discurso instrutivo para o segundo. Porém, o leitor deve se recordar de que tentei usar ambos os termos da maneira mais ampla possível, cobrindo a oratória política, as negociações comerciais e todas as formas de *marketing* com o primeiro e todas as formas de ensino com o segundo.

Como a forma pela qual devemos reagir ao discurso que deseja nos levar a agir ou sentir de determinada maneira é notavelmente diferente da forma pela qual devemos reagir ao discurso que quer mudar nossa mentalidade e influenciar nosso pensamento, é necessário lidar separadamente com as anotações feitas durante um discurso persuasivo e as anotações feitas durante um discurso instrutivo. Começarei por este último.

2

As anotações contínuas feitas ao ouvir um discurso instrutivo devem incluir pelo menos quatro observações diferentes.

1. Se o discurso em questão foi organizado e preparado de forma a facilitar a escuta, em suas observações iniciais, o falante revelará o tema a ser abordado. Ele indicará, de maneira resumida, a essência da mensagem que quer transmitir. Se for um falante muito metódico, poderá até mesmo lhe dizer, logo no início, de que forma falará do assunto proposto e como procederá para desenvolver seu tema central, conduzindo assim à conclusão, ou às conclusões, que deseja ver adotada.

Se for esse o caso, as anotações devem começar a ser feitas logo no começo. Muitos ouvintes esperam demais para tomar as primeiras notas. Eles são lentos ou dilatórios no uso de suas mentes para a escuta ativa. Eles demoram a se adaptar ao falante e, por isso, muitas vezes deixam de anotar o que é de primordial importância.

Nem todos os falantes, é claro, são tão metódicos como deveriam ser, assim como nem todos se esforçam para preparar seus ouvintes para a tarefa de escutar bem, não revelando no início aquilo em que deveriam prestar atenção.

Os equívocos do falante, nesse aspecto, manifestar-se-ão pelo caráter desconexo e assistemático de suas observações iniciais.

Isso deve ser encarado como um indício de que será mais difícil fazer as anotações. Você terá de esperar pelo momento em que o falante finalmente revele o que julga ser o principal conteúdo de sua apresentação. Você não pode impedi-lo de divagar, mas não deixe que sua mente o imite nisso. Mantenha seus ouvidos atentos a declarações que, num momento ou noutro, conduza sua atenção ao conteúdo central do discurso. Anote-as.

2. Mais uma vez, se estiver genuinamente preocupado em fazer com que você compreenda o que está sendo dito, o falante perceberá que seu vocabulário conceitual – suas expressões básicas de referência – pode lhe ser singular, e portanto fará um esforço especial para chamar sua atenção a esses termos.

Quando cada expressão for dita pela primeira vez, ele afirmará: "Estou usando esta ou aquela palavra da seguinte forma"; ou então: "Por favor, observem que, ao usar a palavra '_____', estou me referindo a '_____'". De qualquer modo, observe o que for enfatizado. Não prestar atenção ao uso especial que o falante dá a certas palavras ou expressões significa não estar em harmonia com ele. Essa falha representa um obstáculo sério, se não fatal, à compreensão do que está sendo dito.

Falantes menos cuidadosos ou atenciosos podem empregar um vocabulário próprio sem se esforçarem para indicar quais termos fundamentais estão sendo usados com um significado especial. Dessa forma, como ouvinte, sua tarefa se torna mais difícil, mas seu cumprimento vem a ser muito mais importante. Você deve se esforçar para identificar as palavras ou expressões usadas num sentido que lhe pareça estranho ou pouco familiar, ou pelo menos num sentido diferente daquele em que você mesmo as emprega. Anote o maior número delas que conseguir.

3. Ao argumentar em prol da conclusão ou das conclusões que gostaria que você adotasse, o falante logicamente sensível – gênero hoje raro, infelizmente – lhe revelará as premissas subjacentes nas quais seu raciocínio se baseia.

Algumas delas, se não todas, consistirão em declarações que o falante não pode afastar da dúvida racional ou que só podem ser apresentadas sob um alto grau de probabilidade, mas ainda no campo da incerteza. O tempo disponível não permite a elucidação de todas as suas premissas subjacentes, ou ao menos da maioria delas.

O falante logicamente sensível pedirá que você confie em suas suposições, aceitando-as no intuito de distinguir suas consequências e de ver como elas conduzem às conclusões almejadas. É importante que você anote esses pressupostos, ainda que o falante não seja franco o suficiente para admitir que, para os objetivos da ocasião, eles não constituem axiomas ou verdades autoevidentes, que dirá princípios adequadamente sustentados.

Muitos falantes não conseguem deixar claras suas premissas iniciais. Eles não conseguem chamar a atenção para o número relativamente pequeno de afirmações em que todo o seu argumento se fundamenta. Eles podem indicá-las indiretamente ou reconhecê-las de maneira tácita. Sua tarefa como ouvinte é estar a postos para identificar as premissas iniciais, os princípios e as suposições que servem de fundamento para o que está sendo dito. A tarefa se torna mais difícil se, em vez de revelado, tudo isso estiver oculto, mas é nessas ocasiões que seu cumprimento se faz mais necessário.

4. Se o discurso em questão se deslocar das considerações iniciais às conclusões, esse deslocamento será realizado através da ordenação de justificativas, da apresentação de evidências, da formulação de argumentos, tudo mais ou menos explícito. Quanto mais claras eles forem, mais fácil será a tarefa de anotar as justificativas, as evidências e os argumentos. Porém, sendo esse um esforço árduo ou não, você deve procurar fazer anotações rápidas para registrar como o falante tentou conduzi-lo das considerações iniciais à conclusão.

Independentemente de o falante ter ou não revelado com antecedência as conclusões que deseja expor, e independentemente de ele ter ou não ter sido claro ao apresentar os fundamentos que conduzem a elas, você não pode dar fim às notas de um discurso sem registrar de alguma forma que conclusões são essas.

Se durante o discurso você realizar todos os quatro passos acima, suas notas contínuas, por mais ou menos ordenadas e breves que forem, constituirão um registro adequado do que você escutou, permitindo-lhe dar o passo seguinte: revisar o conteúdo ouvido, refletir sobre ele e expressar sua reação.

Isso não precisa ser feito de imediato. Quase nunca você terá disponíveis o tempo ou as circunstâncias necessárias. Porém, se vai dar esse segundo passo de qualquer jeito, o melhor é você não adiar muito. Ele é mais bem realizado quando a memória do que você escutou está fresca, rica e vívida, e não distante, desconexa e obscura.

3

Ao colocar no papel o segundo grupo de anotações, os passos abaixo devem ser seguidos.

1. Em primeiro lugar, independentemente do quão ordenado ou desordenado tiver sido o falante, é preciso tentar resumir seu discurso da forma mais organizada possível. Para isso, você pode se valer do material reunido em suas notas contínuas, embelezando-o com o que sua memória conservou. Ao mesmo tempo em que suas anotações podem ter a brevidade da escrita rápida, seu resumo retrospectivo deve ser expresso da maneira mais detalhada possível.

Idealmente, esse sumário deve corresponder a uma sinopse das próprias anotações do falante, no caso de seu discurso ter sido guiado por uma série de notas ordenadas. Ele pode ser um breve registro escrito do que foi exposto, ou ao menos uma representação precisa e imparcial da fala apresentada, ainda que não seja uma descrição abrangente dela.

2. Com esse resumo diante dos olhos (incluindo as premissas ou suposições iniciais do falante, as palavras a que ele deu um sentido especial e que lhe serviram como termos decisivos, as conclusões objetivadas e os artifícios empregados para que elas ganhassem respaldo), você está em condições de reagir ao que ouviu. Expressar as próprias reações faz parte da escuta ativa de um discurso tanto quanto da leitura ativa de um livro.

Se você compreendeu perfeitamente o discurso e concorda por inteiro com suas conclusões, sua única reação será dizer "Amém". Isso pode ocorrer num caso ou noutro, mas raramente é o que acontece.

> a. Quando isso não acontece, sua primeira tarefa deve ser expressar com palavras o que não conseguiu entender. Por que o falante disse isso ou aquilo? Por que ele julgou convenientes as razões ou evidências empregadas para dar respaldo às suas conclusões? Por que não comentou as objeções que poderiam ser levantadas contra o que foi dito? O que ele quis dizer com essa ou aquela palavra, empregada num sentido especial que não foi indicado?

b. Em seguida, no que diz respeito às questões ou assuntos que você julga ter compreendido o bastante para poder assentir ou dissentir do falante, você deve fazer alguma declaração sobre aquilo com que concordou e discordou. Se deseja ser particularmente rigoroso com seus desacordos, é preciso indicar os motivos que o levaram a assumir esse posicionamento. Até mesmo com relação à sua concordância, pode ser útil indicar se ela se baseia em razões fornecidas pelo falante ou se está fundamentada em razões adicionais suas.

c. O ato de concordar ou discordar nem sempre acompanha o entendimento do que foi ouvido. Você pode achar que as justificativas do falante são de alguma forma inadequadas às conclusões obtidas, sem conseguir, porém, fornecer argumentos para confirmá-las ou negá-las. Sob essas circunstâncias, é preciso registrar a suspensão de seu julgamento. Isso significa que muito trabalho terá de ser feito antes que você, ou outra pessoa, consiga se convencer acerca das questões abordadas.

d. Tendo concordado, discordado ou suspendido seu julgamento, ainda há outra coisa a ser realizada em resposta ao discurso ouvido. Supondo que o falante está correto em suas conclusões e que elas podem ser sustentadas de maneira adequada, ainda resta a pergunta "E daí?". Essa indagação também pode ser feita sob a suposição oposta, a saber: a de que as conclusões do falante estão incorretas e de que existem argumentos suficientes para sustentar uma série de conclusões contrárias. Feita em ambos os casos, essa pergunta exige que você reflita sobre a importância que o discurso como um todo tem para você.

Se parecer excessivamente complicado e afanoso o conselho de fazer anotações durante uma fala e depois, quando houver tempo de refletir sobre o que foi dito, ele deve ser seguido apenas se o caráter e o conteúdo do discurso forem suficientemente ricos e importantes para merecer todo o seu esforço.

Existem, é claro, diversos discursos ininterruptos que apresentam conteúdos extremamente triviais, que trazem uma apresentação por demais desordenada e que no geral são tão incoerentes que não merecem uma escuta ativa, muito menos aquele tipo que envolve a tomada de notas.

O preceito da prudência na prática das recomendações sugeridas consiste em simplesmente alterá-las ou usá-las de acordo com o conteúdo, o estilo ou a importância da fala, com o maior esforço possível sendo feito para os melhores discursos, um esforço menor para os que são menos dignos e esforço algum para aqueles que não valem a pena.

Se o discurso, por mais importante ou excelente que seja, for relativamente curto, a escuta ativa e atenta exige um número menor de notas do que as indicadas acima, assim como notas mais breves. Pode até ocorrer de a memória do ouvinte conseguir conservar, de um discurso relativamente curto, o suficiente para fazer reflexões em retrospectiva, sem precisar tomar notas durante sua apresentação.

4

Quando você se encontra diante de um papo de vendedor, de um discurso político de qualquer tipo, de apelos comerciais ou de exortações feitas por executivos – todos querendo que você faça ou sinta algo de uma forma ou de outra –, é importante possuir um grau razoável de resistência. Não seja ingênuo quando tentarem lhe persuadir, mas também não construa barreiras insuperáveis que o impeçam de ser influenciado.

Escutar ativamente um discurso ininterrupto desse tipo costuma exigir menos do que escutar ativamente um discurso que, em essência, é mais instrutivo do que persuasivo. No entanto, pode ser útil fazer algumas anotações breves durante a audição. Elas em geral devem ter a forma de perguntas que estão prestes a serem respondidas.

1. O que o falante está tentando vender, ou, em outras palavras, o que ele quer que eu faça ou sinta?
2. Por que o falante acha que eu deveria ser persuadido? Que motivos ou fatos são apresentados para sustentar seu apelo?
3. Que questões para mim relevantes o falante não mencionou? O que ele não disse que poderia me influenciar de uma forma ou de outra?
4. Ao terminar seu esforço de persuasão, que perguntas que julgo importantes o falante deixou de responder ou, até mesmo, de considerar?

Se, com uma ou mais alegações precedentes, o falante não conseguiu satisfazê-lo, de modo que você continua incapaz de responder a essas perguntas ou com sérias dúvidas acerca de suas respostas, é preciso permanecer inconvicto. Isso não significa que você não seja persuasível sobre o tema em questão, mas apenas que é preciso mais para superar sua justificada resistência à venda e para transformá-lo num comprador, num aquiescente ou em algum tipo de cúmplice.

Segundo penso, raramente acontece de uma tentativa de persuasão ser bem-sucedida através do discurso ininterrupto. Em geral, um discurso desse tipo deve ser complementado pelo que chamei de conversa de mão dupla: um intercâmbio entre o falante e o ouvinte, no qual um pergunta e o outro responde.

As anotações feitas durante a escuta servem para facilitar essa sessão de perguntas e respostas que deve se iniciar ao fim do discurso.

A pessoa empenhada na persuasão deve estar tão ansiosa e preparada para travar uma conversa de mão dupla quanto o público a que se dirige. Ela pode reforçar e inculcar argumentos cruciais respondendo ao que os ouvintes perguntam, assim como pode esclarecer dúvidas e superar objeções ao fazer isso de maneira habilidosa... e honesta!

Da mesma forma, o falante pode fazer com que seu apelo original se torne mais eficaz ao propor perguntas que possam trazer à baila pontos de resistência mantidos em segundo plano por seus ouvintes ou ao propor, respondendo-as imediatamente, perguntas adormecidas na mente deles. Assim, é possível lidar e tentar superar objeções parcialmente expressas ou escondidas.

5

O que se aplica ao discurso ininterrupto que procura persuadir também se aplica ao discurso ininterrupto que procura instruir. Nesse segundo tipo de discurso, a via de mão dupla representada pela sessão de perguntas e respostas oferece aos ouvintes a chance de esclarecerem questões levantadas por suas anotações ou de proporem objeções que gostariam de ver respondidas. Como resultado, eles podem dar fim à suspensão de seu julgamento, passar da discordância à concordância ou passar da concordância à discordância. De qualquer forma, a sessão de perguntas e respostas servirá para completar os esforços empregados na busca da escuta mais ativa possível.

Após o término do discurso, os falantes que procuram instruir também se beneficiam da via de mão dupla estabelecida num fórum ou numa sessão de perguntas e respostas. Sem ela, eles raramente conseguiriam se certificar de que sua fala foi bem ouvida, assim como não conseguiriam fazer uma estimativa sensata do quanto foram capazes de influenciar a mente do público. Apenas submetendo-se às perguntas ou objeções da plateia é que os falantes podem corrigir os mal-entendidos, repetir o que deveria ter sido escutado e não foi e complementar algo dito, apresentando argumentos que deveriam ter sido expostos e não foram.

Além disso, os próprios falantes podem se valer de um fórum ou de uma sessão de perguntas e respostas para questionarem sua plateia, em especial no intuito de descobrir se foram ou não compreendidos, quais dificuldades não foram consideradas e que objeções podem estar ocultas na mente de seus ouvintes.

O discurso ininterrupto e a escuta silenciosa, ainda quando realizados da melhor maneira possível, raramente atendem ao objetivo final da comunicação, que é levar as mentes a uma convergência que as faça partilhar de um entendimento comum, concordem elas ou não. Esse discurso e essa escuta devem sempre, ou quando possível, vir acompanhados de uma conversa de mão dupla, o tipo de intercâmbio entre falantes e ouvintes que caracteriza o colóquio ou o debate.

Apenas através do colóquio ou do debate é que a fala e a escuta podem ser consumadas e transformadas ao máximo em algo fecundo. Esse é o tipo de fala e escuta em que nos concentraremos na próxima parte deste livro. Nela, trataremos em primeiro lugar do fórum ou da sessão de perguntas e respostas que devem suceder ao discurso ininterrupto e à escuta silenciosa.

Quarta parte

Conversa de mão dupla

CAPÍTULO IX
Sessões de perguntas e respostas: Fóruns

1

Até aqui, nós temos lidado separadamente com a fala e a escuta, duas metades que deveriam se complementar.

A escrita e a leitura quase sempre vêm separadas uma da outra. São raras as vezes em que o leitor pode testar sua compreensão de um livro interrogando diretamente o autor. Da mesma forma, os autores muitas vezes não têm como enviar perguntas aos seus leitores, no intuito de saber quão bem seus livros foram lidos. Essa lacuna é preenchida por uma ocasional resenha, embora cartas enviadas por leitores também sirvam a esse propósito.

Ao contrário da escrita e da leitura, a fala e a escuta estão unidas num intercâmbio, uma operação face a face em que o falante e o ouvinte se alternam como inquiridor e inquirido. Como já pude indicar, nenhum tipo de discurso – tanto aquele que busca instruir quanto aquele cuja persuasão objetiva algo prático – será tão eficaz como deveria se não for sucedido por uma sessão de perguntas e respostas.

Tal conclusão é confirmada, na vida política do mundo antigo, pela centralidade dos assuntos públicos na ágora de Atenas e no fórum romano. Esses espaços abertos para a reunião do povo não eram apenas locais em que se proferiam discursos políticos, mas também locais onde os cidadãos reagiam ao falante, fazendo-lhe perguntas e refutando suas respostas. A palavra "fórum" chegou da Antiguidade até nós como o nome dado a qualquer reunião em que um locutor se sujeita ao interrogatório de seu público.

Na vida política britânica – até mesmo hoje, na era da televisão –, os candidatos ao Parlamento sobem em palanques, ou seja, se expõem em locais públicos não apenas para discursar ao eleitorado, mas também para encarar uma chuva de perguntas. No próprio Parlamento há épocas de interrogatório, durante as quais o partido da oposição faz perguntas a membros do governo que apresentaram documentos de Estado.

Nos Estados Unidos, o uso da televisão reduziu o número de confrontos diretos, nos quais os candidatos encaram o povo e o desafio representado por suas perguntas e objeções. Antigamente, candidatos à presidência viajavam pelo país de trem, parando de cidade em cidade para falar em pequenas reuniões à beira da ferrovia e para responder perguntas e outros desafios. Não sendo mais esse o caso, tanto os candidatos quanto o público perderam algo valioso.

O fórum é um complemento igualmente útil aos discursos que não têm objetivos oratórios e políticos. No Hyde Park Corner, durante as tardes londrinas de domingo, os falantes discursam sobre uma variedade de plataformas improvisadas, abordando temas que vão da existência de Deus e da imortalidade da alma aos males da vivissecção e à excelência dos métodos contraceptivos e do aborto para o controle da natalidade. Eles sempre atraem uma multidão de pessoas – tanto jovens quanto adultas –, as quais se aproximam não apenas para ouvir os falantes, mas também para enchê-los de perguntas ao fim da apresentação.

Não existe nada parecido com o Hyde Park Corner nos Estados Unidos, mas há uma antiga tradição de anunciar preleções públicas com um período de perguntas e respostas ao final. A série de palestras de Chautauqua, no final do século XIX e no início do século XX, é um exemplo apropriado. O Ford Hall Forum, em Boston, e o Cooper Union Forum, em Nova York, também são dois exemplos famosos da prática de reunir uma plateia não apenas para uma audição, mas também para questionamentos.

2

Minha própria experiência como conferencista teve início no Cooper Union, nos anos 1920. O tempo destinado às perguntas e respostas era equivalente ao da apresentação: ele se estendia por uma hora, sucedendo a uma preleção que durava o mesmo. Se não fosse assim, não haveria quase ninguém na plateia. As pessoas escutavam as apresentações no intuito de se contrapor ao palestrante com as perguntas mais difíceis que podiam conceber, ou então para levantar objeções que, segundo elas, poderiam aturdi-lo.

Isso as tornava ouvintes melhores, pois elas logo perceberam que, se as perguntas ou objeções feitas revelassem desatenção ou uma compreensão equivocada do que fora exposto, elas seriam asperamente desprezadas. A educação ou a civilidade não impediam que o mediador fosse um disciplinador, exigindo que os ouvintes provassem, através de suas perguntas, que estavam participando do jogo ou que ao menos se encontravam no estádio, e não em outro lugar.

Esse fórum bem conduzido e regulado não apenas aprimorava a escuta e testava o fervor dos ouvintes; ele também ensinava aos falantes muito do que não conseguiriam aprender de outra forma. Eu descobri isso bem cedo, durante minha experiência como palestrante habitual no Cooper Union Forum. Tal descoberta foi confirmada repetidas vezes desde então, no decorrer dos cinquenta anos ou mais em que tenho falado para plateias abertas – sob os mais diversos auspícios – e para públicos estudantis dos mais diferentes tipos de instituições de ensino.

Fico muito triste pelas ocasiões em que a limitação temporal ou outras circunstâncias me impediram de responder perguntas ou de encarar objeções levantadas pela plateia. Nunca aprendi nada ouvindo apenas a mim mesmo, sem saber se o que falei fora ouvido e compreendido da maneira adequada. Nesse caso, eu poderia muito bem estar falando para uma sala vazia.

Quando um fórum dá continuidade à preleção – e quanto mais longa a sessão de perguntas e respostas, melhor –, eu aprendo muito acerca do que expus. Descubro quais termos utilizados precisam ser esclarecidos. Descubro que pressupostos necessitam de uma explicação mais completa. Descubro que argumentos precisam ser ainda mais elucidados e por que é necessário modificar a ordem em que certos argumentos foram expostos. Eu descubro, também, onde determinada questão precisa se estender e onde outra pode, de forma sucinta, ser mais bem desenvolvida.

Isso não é tudo o que aprendo. Eu também descubro, a partir das objeções e dificuldades levantadas, onde meu pensamento se equivocou ou se mostrou inadequado. As objeções que não consigo refutar de maneira satisfatória pedem melhorias sérias na preleção dada. As perguntas que não consigo responder satisfatoriamente exigem acréscimos necessários – novos argumentos, elucidações.

Todas essas descobertas que o fórum oferece ao meu pensamento aprimoram a preleção para a segunda vez em que eu for proferi-la, assim como para a terceira, para a quarta e para as ocasiões seguintes, até que as sessões de perguntas e respostas se tornem relativamente insignificantes. Só então sei que testei meu pensamento e minha fala o bastante para ter relativa certeza de que o que foi dito sobre o assunto se tornou amplamente inteligível e aceitável, mesmo quando não alcança a perfeição, o que nunca acontece. Ocasiões futuras, nas quais são levantadas novas perguntas ou objeções inesperadas, servem como um constante lembrete disso.

Para mim, o aprendizado obtido pela experiência da preleção e do fórum é tão valioso que, nos últimos quarenta anos, a maioria dos livros que escrevi teve origem em preleções submetidas ao teste, ao aprendizado e ao detalhado aperfeiçoamento de conteúdo e estilo resultantes de apresentações em que meus ouvintes também falavam.

Como Ler Livros foi a primeira obra que escrevi dessa maneira, e isso se deu de modo muito mais proveitoso do que nos livros anteriores, redigidos como se eu conversasse apenas comigo mesmo, no silêncio do meu escritório. Antes de escrevê-lo, durante um ano inteiro ou mais, eu havia falado sobre a arte de ler a muitos públicos diferentes. Essa preleção passara por diversas revisões, que tanto a emendaram quanto expandiram. Foram as minhas notas sobre as preleções e sobre outras coisas, tomadas após as experiências que tive com meus públicos, que produziram o livro. O alcance que a obra teve me convenceu a adotar o mesmo procedimento para a redação de meus trabalhos seguintes.

Quase me atrevo a dizer que, quando unidos na preleção e no fórum, falar e ouvir são as melhores técnicas para a redação de um livro. Outros complementos podem ser necessários, mas o autor que não enfrentou nenhuma plateia e que não descobriu, com suas perguntas e objeções, o que deveria ser feito para melhorar seu pensamento e comunicá-lo de maneira mais eficaz encontra-se privado de uma informação que não pode ser obtida de nenhuma outra forma.

Se me permitem alongar um pouco mais minhas recordações, gostaria de acrescentar que as preleções organizadas na Faculdade de St. John's, em Annapolis, e as preleções patrocinadas pelo Aspen Institute for Humanistic Studies foram as que mais me ensinaram, envolvendo tanto um público mais geral quanto um público estudantil. Gosto de pensar que aquelas também foram ocasiões fecundas de aprendizado para a plateia presente.

Na Faculdade de St. John's, uma preleção por semana é oferecida a toda a faculdade, sendo obrigatória a presença do corpo discente. Após o término da apresentação no auditório e de um breve intervalo, os alunos se reúnem novamente na sala de discussão. A sessão de perguntas e respostas nunca dura menos de uma hora e meia, e com frequência se estende muito mais.

De mim, os alunos obtêm tanto os argumentos que não compreenderam quanto os que foram entendidos de maneira equivocada, e assim nossos vocabulários conceituais aos poucos se ajustam. Através dos alunos, eu descubro que questões deixei de considerar, que argumentos não consegui tornar claro e quais foram os erros ou inadequações de meu pensamento sobre o assunto.

A preleção que dá lugar ao fórum é uma parte essencial do aprendizado na Faculdade de St. John's. Ela não é uma atividade extracurricular opcional, como na maioria das faculdades e universidades, onde a presença é voluntária e frequentemente escassa e onde a sessão de perguntas e respostas em geral é breve e partilhada por poucos membros da plateia. É por isso que, para mim, falar na Faculdade de St. John's é mais proveitoso do que falar na maioria das outras instituições de ensino. Os alunos de lá são treinados na arte do debate. Eles aprendem como ouvir uma preleção para poderem participar do fórum que lhe sucede.

Minha experiência com o Aspen Institute é parecida porque o público de lá anseia por assistir ou participar dos debates que acompanham as preleções. Seus ouvintes desejam testar a si mesmos e o falante através do intercâmbio ocorrido durante a sessão de perguntas e respostas. O caráter intelectual do público e a diversidade de seu conhecimento acadêmico e profissional tornam as preleções e os fóruns do Aspen Institute mais proveitosos do que os da maioria, tanto para os falantes quanto para os ouvintes.

Nos primeiros anos do instituto, quando sua programação de seminários, conferências, preleções e outras atividades estava mais folgada e permitia que os fóruns se estendessem por mais tempo, eles eram organizados da maneira que julgo ideal. Em vez de as perguntas e respostas serem realizadas no auditório logo após a preleção, o público voltava a se reunir, em outra sala, na manhã seguinte. O fórum então realizado durava duas horas inteiras, envolvendo, além do palestrante da noite anterior, uma série de outras pessoas capazes de lidar com as perguntas ou objeções suscitadas pela preleção.

Esse procedimento era vantajoso porque fornecia aos ouvintes tempo para examinarem as anotações realizadas durante a fala, para refletirem sobre o que fora dito e até mesmo para formularem, cuidadosamente, as perguntas e objeções que gostariam de apresentar. Como resultado, as perguntas eram mais profundas; as objeções, mais arrazoadas; os julgamentos impensados e irrelevantes eram eliminados; e o debate, com a ajuda do grupo que auxiliava o falante, era conduzido de forma mais apropriada.

Eu adoraria que fosse sempre possível adiar para a manhã seguinte o fórum que deve acompanhar a preleção, mas infelizmente nunca repeti a fecunda e prazerosa experiência proporcionada pelos primeiros anos do Aspen Institute.

3

De que maneira um fórum, sob quaisquer circunstâncias, deve ser conduzido? Deixem-me responder essa pergunta através do olhar do falante e, em seguida, do olhar dos ouvintes.

Se tiver a oportunidade, o falante faria bem em controlar a discussão através de um artifício que sempre utilizei na Faculdade de St. John's e que empreguei também, algumas vezes, no Aspen Institute. Ao abrir o fórum, ele deve pedir aos ouvintes que dividam suas perguntas entre as que buscam um entendimento melhor ou ulterior do que foi dito e as que o desafiam. O primeiro tipo de questões deve preceder todos os outros, pois não há motivos para tentar responder perguntas ou refutar objeções suscitadas por mal-entendidos.

O primeiro tipo de perguntas deve tomar a seguinte forma: "É verdade que o senhor disse...?". O falante pode afirmar que o inquiridor entendeu corretamente o assunto ou não. Nesse último caso, ele pode se esforçar para esclarecer o que fora dito e para gerar o entendimento que faltava. Apenas depois que todas essas perguntas forem respondidas e que o falante estiver satisfeito com a compreensão de seus ouvintes é que se torna adequado e proveitoso tentar responder as perguntas que desafiam sua fala ou que propõem objeções a um ou outro de seus argumentos. Perguntas em busca de informações sobre o que foi dito ou que verificam a compreensão do ouvinte devem sempre preceder desafios e objeções.

Às vezes, antes de suas perguntas, os ouvintes atribuirão ao falante declarações que não foram feitas ou que distorcem seriamente o que de fato fora expresso. "O senhor disse isto e aquilo", dirá o falante. Eu sempre ergo uma das mãos ou balanço a cabeça para indicar logo ao inquiridor que ele está equivocado. Não há motivos para considerar uma pergunta sobre algo que não falei ou sobre uma versão adulterada do que eu disse. Então, repito o que fora realmente falado e pergunto ao meu inquiridor se isso suscita nele alguma dúvida.

Existem ainda duas coisas que o falante pode fazer para facilitar ou aprimorar o debate sobre o seu discurso. A primeira é aperfeiçoar as perguntas feitas, reformulando-as para que fiquem de acordo com o conteúdo da apresentação. "Deixe-me ver se compreendi sua pergunta", direi, "e deixe-me fazer isso repetindo-a do seguinte modo". Dessa forma, busco a aprovação da pergunta reformulada, e somente depois que isso acontece é que prossigo e respondo a questão.

Muitas vezes acontece de o ouvinte ter uma boa pergunta em mente e não conseguir formulá-la. Da mesma forma, há ocasiões em que determinada questão é jogada desordenadamente sobre seu alvo, e não direcionada com cautela. Aqui, mais uma vez, a reformulação da pergunta ajuda o falante a melhorar a discussão, evitando que todos se percam em digressões.

O falante pode ainda virar o jogo e se tornar um inquiridor. Isso é mais apropriado ao fim do fórum, quando as perguntas do público começam a se exaurir. Se o falante sentir que perguntas boas ainda não foram propostas e que gostaria de respondê-las para elucidar algo dito, não há razões para que não as formule e responda.

Esse último artifício é particularmente útil em papos de vendedor, discursos políticos ou qualquer outro esforço de persuasão que tenha objetivos práticos. O persuasor, é claro, deve tentar responder todas as perguntas que indicam resistência ao seu apelo, mas ele estaria errado se parasse por aí. Alguns dos obstáculos mais importantes ao sucesso de seu esforço podem não ser expressos ou podem estar escondidos na mente de seus ouvintes. Sem deslindá-los e respondê-los, o falante, sem saber o porquê, pode não conseguir superar a resistência encontrada.

Além disso, o persuasor deve recorrer a perguntas retóricas sobre o assunto em questão, formulando-as com uma habilidade que lhe dê a plausível certeza de que receberá respostas positivas.

Na política, nas negociações comerciais e nas vendas, proferir um discurso persuasivo nunca é o suficiente. Ele deve vir sempre acompanhado de uma sessão de perguntas e respostas, na qual o persuasor pode esclarecer as dúvidas propostas por seu público e fazer perguntas – principalmente boas perguntas retóricas – que levem às respostas que gostaria de obter.

4

Do ponto de vista do ouvinte que planeja participar de um debate sobre a fala que ouviu – seja ela um discurso que procura instruir, seja um discurso que procura persuadir –, as anotações realizadas devem servir como base para suas questões. Na ausência dessas notas, o que a memória conserva terá de bastar.

Quando o objetivo do discurso é a instrução, os ouvintes devem ter em mente dois objetivos. O primeiro é certificar-se de que compreenderam completamente o que foi ouvido. O outro é desafiar o falante para que possam decidir se concordam ou discordam do que foi expresso sobre essa ou aquela questão.

Se for a persuasão o objetivo do discurso, os ouvintes devem aproveitar a oportunidade para questionar o falante e chamar sua atenção para as considerações altamente relevantes que ele, propositadamente, não abordou, omitindo-as por temer que causassem resistência aos seus esforços. Além disso, os ouvintes podem se assegurar de que ouviram corretamente as razões fornecidas para que isso ou aquilo fosse feito, e, caso tais razões pareçam insuficientes, eles têm a chance de levantar objeções ao apelo e de ver se elas podem ser refutadas.

Na esfera política, nas conferências e transações comerciais ou no mercado, será persuadida a pessoa que estiver certa de que todas as considerações relevantes foram abordadas e de que todas as perguntas pertinentes obtiveram respostas. É possível que ela se iluda ao pensar assim, o que pode ser um equívoco seu enquanto ouvinte e inquisidora.

A pessoa que permanece com dúvidas não esclarecidas ou com objeções não refutadas provavelmente será aquela que, com boas razões, continuará inconvicta.

CAPÍTULO X
A DIVERSIDADE DE COLÓQUIOS

1

Os fóruns que acompanham as preleções instrutivas ou os discursos persuasivos constituem apenas um tipo de colóquio e de debate. Eles representam um gênero muito especial, pois são sessões de perguntas e respostas que extraem seu conteúdo de um discurso proferido e ouvido e que se norteiam pelo objetivo da apresentação. Existem muitas outras formas de intercâmbio direto entre falantes e ouvintes, os quais são notavelmente diferentes em sua motivação e em sua natureza, indo do bate-papo num coquetel ou num jantar aos debates políticos e às conferências comerciais mais sérias, assim como aos exaltados seminários e simpósios acadêmicos.

A fim de apresentar as regras que tornam mais prazerosos e vantajosos diferentes tipos de colóquios, é necessário antes classificá-los, apontando as características que os distinguem uns dos outros. Nós precisamos fazer isso pela mesma razão que nos levou a distinguir os dois principais tipos de discurso ininterrupto – o persuasivo e o instrutivo – e a analisar os diferentes papéis do ouvinte em cada um deles.

Aqui, proponho uma classificação quádrupla para as formas de conversa de mão dupla, os tipos de colóquio. Ainda que provavelmente não seja exaustiva, essa classificação convém aos nossos objetivos.

2

Nossa primeira distinção será entre colóquios sérios e lúdicos. Por colóquio lúdico, refiro-me a todas as formas de conversa que não têm nenhum propósito definido, nenhum objetivo a ser alcançado, nenhum norte a orientá-las. Além disso, tal como a própria brincadeira, que é a atividade humana em que nos envolvemos apenas pelo prazer que lhe é inerente, o colóquio com uma intenção lúdica, e não séria, é agradável em si mesmo, não sendo realizado com qualquer propósito ulterior.

Outra expressão associada a esse tipo de conversa é "jogar conversa fora". Ela se refere àquela conversa cômoda e informal que ocorre na agradável companhia de amigos ou colegas. Ela pode ser informativa, mas não é necessário que o seja, assim como pode, mas não precisa, ser esclarecedora. Ela é tão somente uma conversa agradável, e por isso fortalece laços de amizade ou ajuda as pessoas a se conhecerem melhor.

Uma boa conversa desse tipo não pode nunca ser planejada com antecedência. Ela simplesmente se dá quando circunstâncias fortuitas a favorecem. Estabelecer o que será debatido equivale a planejar algo semelhante a uma reunião de negócios. "Jogar conversa fora" deve ser uma atividade errática, pois não há objetivo a ser alcançado nem algo a ser decidido.

Segundo nosso esquema de classificação, os outros três tipos de colóquio não são lúdicos, mas sérios. Eles são premeditados e dirigidos. Aqui, nossa principal distinção será entre os colóquios íntima e essencialmente pessoais e os colóquios impessoais.

O que chamo de "colóquio pessoal" geralmente ganha o nome de "conversa franca". Todos nós nos recordamos de uma ou outra ocasião em que dissemos para alguém próximo e querido: "Vamos ter uma conversa franca sobre isso".

A expressão "conversa franca" pode ser ilusória se vista como algo em que mobilizamos nossos corações, e não nossas mentes. Toda conversa, seja ela lúdica ou séria, pessoal ou impessoal, envolve um exercício mental. Porém, na chamada conversa franca, usamos nossas mentes para falar com outrem sobre coisas que afetam nossos corações – nossas emoções e sentimentos, nossas afeições e desafetos.

Tal conversa diz respeito a problemas emocionais de profundo interesse às partes envolvidas. Ela é profundamente séria – talvez mais séria do que qualquer outro tipo de conversa –, pois tem como objetivo eliminar mal-entendidos emocionais ou aliviar, se não suprimir, tensões emotivas.

Também sérios, os dois tipos de conversa restantes são impessoais. O primeiro pode ser chamado de teórico porque procura conduzir a uma mudança de mentalidade. Ele será instrutivo se as pessoas envolvidas adquirirem um conhecimento que não têm; será esclarecedor se elas passarem a compreender algo que não compreendiam ou se compreenderem de maneira mais adequada os assuntos em questão.

A conversa prática objetivará a adoção de algum procedimento, a tomada de uma decisão capaz de influenciar determinada atitude ou a alteração de ações e impulsos emocionais que possam ter consequências sobre uma atividade subsequente. Quando lida com emoções e impulsos no intuito de vender uma mercadoria, conquistar apoio político ou ver adotado um plano comercial ou diretivo, a conversa continua impessoal, e não o contrário.

O persuasor que nutre um objetivo prático geralmente joga com as emoções daqueles que tenta convencer. Seus próprios sentimentos não devem estar envolvidos, *exceto quando úteis ao seu propósito*. Porém, na conversa pessoal ou franca, a emoção de todos os envolvidos entram no confronto direto. Esse é o tipo de conversa que se dá entre marido e mulher, pais e filhos, membros de uma família, namorados e amigos – nunca entre pessoas sem um relacionamento íntimo que as vincule emocionalmente.

Como vemos, entre o vendedor e o comprador não existe uma relação como essa, assim como entre executivos e sócios e entre aqueles que conversam para conquistar um objetivo político. Em geral, essas pessoas são estranhas umas às outras ou meras conhecidas. Mesmo que calhe de serem amigas, os laços de amizade e amor não fazem diferença. Se, como raramente acontece, os envolvidos possuírem uma intimidade emocional capaz de influenciar a forma como lidam uns com os outros, isso complicará indevidamente as coisas, trazendo constrangimentos e barreiras que desviam o curso normal desse tipo de colóquio.

A conversa pessoal ou franca normalmente envolve duas pessoas – no máximo, algumas poucas. Em geral, ela também se dá em circunstâncias privadas, e não públicas. Esse nunca é o tipo de conversa que os envolvidos gostariam de registrar nas atas de uma reunião, assim como não é orientado por uma pauta preparada especialmente para ele. A conversa pessoal pode ocorrer de forma espontânea, sem preparação, ou pode ter seu horário e local previamente propostos ou estabelecidos. Independentemente da forma em que se dê, ela é sempre um acontecimento importante na vida dos envolvidos, dizendo respeito a eles mesmos e a mais ninguém.

A conversa impessoal, tanto a instrutiva quanto a persuasiva, pode envolver duas, algumas ou um grupo ainda maior de pessoas. Se os envolvidos já se conhecem há algum tempo, esse fato afetará a naturalidade de sua comunicação. Eles conhecerão o vocabulário uns dos outros, seus compromissos intelectuais, suas suposições ou preconceitos. Se estiverem se reunindo pela primeira vez e conversando como desconhecidos, encontrarão obstáculos à comunicação eficaz que devem ser superados e que muitas vezes só são vencidos com muita dificuldade.

Em conversas pessoais ou francas, as pessoas envolvidas se relacionam como iguais. Ainda quando existem diferenças de idade ou de maturidade, como nas conversas francas entre pais e filhos, a amizade ou o amor, que ganham espaço quando tais desigualdades são ignoradas, tendem a nivelar os participantes.

O mesmo não acontece em nenhuma forma de conversa impessoal. Nela, faz uma grande diferença se as pessoas envolvidas se relacionam de igual para igual. A típica reunião de negócios é um bom exemplo disso, assim como o seminário em que um professor orienta um debate entre seus alunos ou no qual o moderador ou presidente de uma discussão desempenha um papel diferente daquele desempenhado pelos outros participantes.

O primeiro tipo de conversa, aquele lúdico "jogar conversa fora", se dá de maneira mais eficaz em grupos relativamente pequenos. O melhor é que seja realizado entre duas pessoas, mas pode haver um pouco mais. Na prática, é possível perceber que, quando o grupo excede cinco ou seis pessoas, geralmente dois colóquios bastante distintos são criados.

Permitam-me resumir, no diagrama abaixo, a classificação quádrupla que dei aos tipos de conversa.

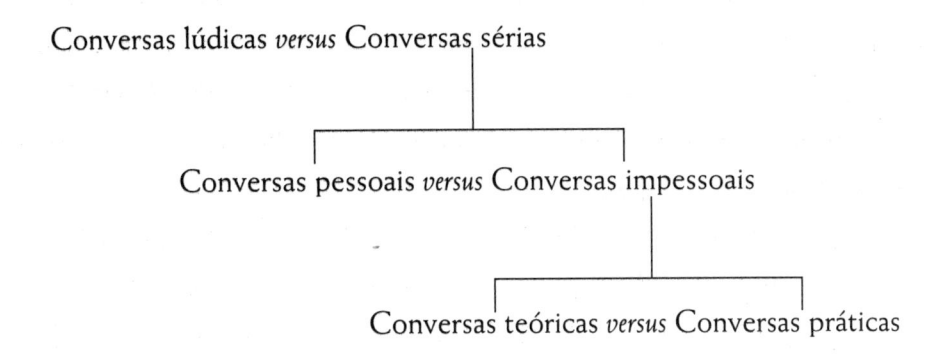

Conversas lúdicas *versus* Conversas sérias

Conversas pessoais *versus* Conversas impessoais

Conversas teóricas *versus* Conversas práticas

Isso nos fornece quatro modelos básicos: (1) o "jogar conversa fora"; (2) a conversa franca, pessoal; (3) a conversa impessoal e teórica que é instrutiva ou esclarecedora; e (4) a conversa impessoal e prática cuja persuasão tem em vista algo prático.

3

As conversas impessoais podem ser formais ou informais, podem ser preparadas ou organizadas com antecedência ou podem ser espontâneas. O assunto a ser discutido pode ser alguma leitura designada, uma ideia ou plano proposto, um problema que precisa ser resolvido, uma questão pendente, uma discórdia ou uma diferença de opinião que deve ser superada.

Se a discórdia ou a diferença de opinião estiver relacionada a uma questão factual, só vale a pena discutir se o debate considerar as consequências produzidas por uma série, e não outra, de acontecimentos, com os fatos opostos sendo tratados hipoteticamente, pelo bem da discussão. O debate pode levar à compreensão do quão importante é *imaginar* a relevância teórica ou prática de uma série de fatos; porém, ele nunca pode *definir* qual o verdadeiro estado das coisas. A consulta, a investigação ou a pesquisa, ainda que se resuma a consultar uma obra de referência no intuito de verificar o fato em questão, é a única forma de resolver o problema.

Para as conversas impessoais que possuem um propósito teórico, ideias e controvérsias são os temas ideais. Para aquelas que têm um objetivo prático, planos, políticas e problemas adequadamente formulados são os materiais mais ricos.

Em conversas de mão dupla com propósitos práticos, também pode haver pessoas tentando convencer outras a fazer algo – a agir de certa maneira, a seguir determinada orientação, a acumpliciar-se neste ou naquele empreendimento e até mesmo a simpatizar com alguma atitude ou disposição emocional.

Aqui, também faz diferença se são apenas duas pessoas envolvidas na conversa; se nela toma parte mais gente; se, sendo esse último o caso, alguém age como moderador do debate; ou se não há nenhum controle ou orientação feito por membros do grupo.

O horário e o local em que ocorrem são circunstâncias relevantes para o caráter das conversas ou dos debates, que podem ser conduzidos com ou sem limitações temporais – chegando ao ponto, inclusive, de se encadearem uns aos outros. O local de sua realização pode ser apropriado ou inapropriado, possibilitando um ambiente que facilita o debate ou um ambiente que permite todas as formas de distrações ou interferências.

Por fim, é preciso assinalar que a diferença mais importante entre as conversas impessoais de objetivo teórico e as conversas impessoais de objetivo prático encontra-se no fato de que a primeira pode ser interminável e inconcludente, enquanto a segunda deve ter fim com uma conclusão ou resolução. Essa diferença é semelhante à que existe entre uma peça cômica e uma peça trágica. Uma comédia de fato acaba ao término de seu último ato, mas em princípio poderia continuar para sempre. No entanto, o que ocorre no último ato de uma tragédia não deixa espaço algum para acontecimentos ulteriores.

Como o objetivo das discussões práticas é fazer com que alguma ação seja levada a cabo, elas precisam alcançar uma conclusão definitiva, fazendo-o num espaço limitado de tempo. Porém, quando são ideias que estão sendo debatidas ou questões teóricas que estão em disputa, a busca da concordância e do entendimento mútuo pode se estender para sempre, assim como o esforço que deseja resolver desavenças ou harmonizar diferenças apenas aparentes de opinião.

Debates como esses podem alcançar seu termo sem conclusão alguma, tal como ocorre em muitos diálogos de Platão, que nada mais são do que comédias intelectuais. O assunto pode ser retomado em outro momento, e então mais uma vez, e quiçá algumas conclusões até sejam alcançadas; no entanto, jamais é preciso obtê-las num momento específico. Nenhuma necessidade prática o exige.

Obviamente, a única exceção a essa regra é a discussão formal, conduzida dentro de limites temporais estritos e finalizada com um voto de apoio a um lado ou outro. Discussões formais podem ser úteis na esfera prática, onde busca-se uma conclusão definitiva. Elas também podem ser aproveitadas pela esfera teórica, tal como acontecia nas disputas das universidades medievais.

4

Nos capítulos que se seguem, tentarei formular regras e indicar fatores ou condições que podem aprimorar as formas de colóquio, tornando cada uma delas mais agradável e as sérias, mais proveitosas.

No capítulo XI, abordarei as regras e recomendações que podem exercer uma influência salutar sobre o colóquio em geral e sobre diferentes tipos deles, começando com a conversa que é "jogada fora" e prosseguindo com os debates impessoais, tanto os teóricos quanto os práticos.

Não indicarei regras ou recomendações para a realização daqueles colóquios pessoais, as conversas francas. Exatamente por serem pessoais e por dependerem tanto do temperamento individual dos envolvidos quanto das circunstâncias emocionais do momento, elas são idiossincráticas. O máximo que posso dizer é que, se os envolvidos nesses colóquios estão unidos por laços de amor e de amizade, eles devem ser capazes de conduzi-los com extrema franqueza e sem nada a esconder, pois não precisam temer mal-entendidos ou desafetos. A amizade e o amor suprimem o engano, tanto o engano próprio quanto o de outrem. Eles aplainam os caminhos que levam à afinidade mútua e que fazem transparecer não apenas o que preocupa profundamente o outro, mas também aquilo que preocupa profundamente o próprio falante.

No capítulo XII, examinarei o que é necessário para a conquista do objetivo derradeiro de todas as conversas impessoais: a compreensão e o acordo mútuos que caracterizam a genuína convergência mental.

Deixei para abordar isoladamente, no capítulo XIII, a importância educativa do debate, aquela instrução realizada, tanto no nível básico da educação como nas instituições de ensino mais avançadas, através de perguntas ou questionamentos, e não da exposição.

Esse tipo de ensino raramente – talvez nunca – é praticado nos primeiros doze anos de formação, da qual deveria ser parte essencial. Ele também raramente é realizado como deveria em nossas faculdades ou nos seminários destinados a adultos que desejam continuar aprendendo muito depois de terem concluído sua formação.

O ensino socrático – realizado através do questionamento e do debate – é o tipo de ensino mais complicado para todos os envolvidos, assim como o mais recompensador. Regras úteis e recomendações podem ser propostas para maximizar os efeitos benéficos dessa forma de instrução. Tentarei formulá-las no capítulo dedicado ao seminário.

CAPÍTULO XI

Como tornar um colóquio proveitoso e agradável

1

Existem regras que são suficientemente gerais para serem aplicadas a todos os tipos de colóquios sérios. Também existem alguns fatores que afetam essas formas de comunicação, devendo ser examinados porque representam dificuldades ou obstáculos. Primeiramente, examinaremos esses últimos fatores. Em seguida, tratarei das regras que servem para aprimorar as conversas corriqueiras.

A linguagem é o instrumento que usamos, e que geralmente devemos usar, para nos comunicarmos uns com os outros. Se ela fosse um meio perfeito ou translúcido, pelo qual fosse possível contemplar a mente dos outros, os colóquios humanos simplificar-se-iam a ponto de equivalerem à perfeita telepatia dos anjos. Infelizmente, o que acontece com a linguagem é o oposto. Ela é um instrumento muito imperfeito de comunicação — é turva, obscura, cheia de ambiguidades e de armadilhas ao entendimento.

É quase impossível que palavras importantes — em especial palavras que nos são de crucial relevância — sejam assimiladas por nossos interlocutores com o mesmo sentido em que a empregamos. Até mesmo quando nos esforçamos para assinalar o sentido dado a um termo de importância, tal advertência muitas vezes passa despercebida, e a reação às nossas perguntas ou declarações revela que aquele com quem falamos não as escutou ou não lhes deu a devida atenção.

Obviamente, as pessoas envolvidas num colóquio podem usar palavras em sentidos muito diversos. Todos querem utilizá-las da maneira que julgam melhor. Seria impossível mudar isso, mas algo pode ser feito. Nós podemos tomar nota dos diferentes sentidos em que as mesmas palavras são usadas e podemos até mesmo classificá-las. Isso exige mais cuidado e paciência do que geralmente estamos dispostos a empregar para tornar os colóquios mais comunicativos; porém, se nada desse gênero for feito, mal-entendidos e até conflitos aparentemente irreconciliáveis surgirão.

Dois fatores poderiam facilitar a superação dos obstáculos impostos pelo imperfeito veículo que é a linguagem. O primeiro seria a educação universal e comum que incluía um treinamento intensivo nas artes liberais da gramática, da retórica e da lógica. O outro seria a existência de uma tradição geral de aprendizado, de uma experiência de leitura comum, da compreensão de um número relativamente pequeno de ideias básicas. Esses dois artifícios eram apreciados por nossos antepassados, especialmente no período que se estendeu do século XVIII até o final do século XIX. Em geral, saímos prejudicados tanto pela deterioração de nosso sistema de ensino quanto pela desenfreada especialização que dominou o século XX.

Nossos ancestrais desfrutavam de um treinamento mais apropriado nas artes liberais, tanto nas artes da comunicação quanto nas técnicas de aprendizado. Aqueles que recebiam uma formação adequada e que, através dela, podiam se tornar pessoas geralmente instruídas partilhavam de uma mesma herança literária, a qual fornecia-lhes um vocabulário comum composto não apenas de palavras, mas também de ideias. Isso os tornava membros de uma mesma comunidade intelectual, compartilhando pensamentos, referências e alusões. Por esse motivo, sua comunicação era mais fácil e melhor.

No século XX, o instruído não é mais um generalista! Ele é um especialista, perito nesta ou naquela área. A linguagem de um especialista inclui muitos jargões característicos de seu ofício, os quais não são partilhados por especialistas de outros campos. No século XX, pessoas muito instruídas – talvez seja melhor dizer "pessoas que receberam toda a educação disponível até o termo da faculdade" – podem chegar ao fim de sua formação com muito pouco conhecimento comum acerca de livros que todas elas leram. Isso gera o que Ortega y Gasset chamou de "barbarismo da especialização" – a antítese da cultura civilizacional.

Um segundo fator que deve ser controlado para o bem dos colóquios sérios e impessoais é o calor do momento. Isso não acontece com as conversas francas, nas quais a emoção constitui o conteúdo mesmo do debate. As emoções também têm lugar nas conversas que objetivam uma persuasão prática, mas, quando isso acontece, elas são manipuladas e orientadas para a conquista do objetivo em questão.

Ao mesmo tempo, porém, as emoções não têm espaço algum nos colóquios impessoais que possuem, como objetivo, uma compreensão mais apurada e a resolução consensual de questões puramente intelectuais.

A inserção de emoções nesses colóquios lhes é danosa, transformando em conflitos emotivos o que deveria ser somente um confronto intelectual. Como consequência, eles se tornam combates entre preconceitos conflitantes, e não intercâmbios que ambicionam a convergência das mentes diante de ideias ou de opiniões genuinamente discutíveis, nos quais a disputa pode ser resolvida pela apresentação de evidências e pela disposição de justificativas.

Quando existente, o autoconhecimento representa ainda outro fator que facilita o colóquio inteligente, impedindo-o ou frustrando-o quando de sua ausência. Compreender a si mesmo é uma condição necessária para a compreensão dos outros. É preciso falar de maneira clara ao menos consigo mesmo. Essa clareza no solilóquio é indispensável para a clareza no diálogo. Aquele que não possui a introspecção exigida para a realização de um colóquio inteligente consigo mesmo quase nunca apresentará a introspecção necessária para a realização de um colóquio inteligente com outras pessoas.

Por fim, e de maneira igualmente importante, encontra-se a quantidade de esforço exigida para que qualquer colóquio sério compense, tanto no que diz respeito aos benefícios que podem gerar quanto no que diz respeito ao prazer que pode ser experimentado quando é bem conduzido. Dizer o que você pensa é uma das coisas mais difíceis do mundo. Escutar o que os outros têm a dizer para compreendê-lo de fato é igualmente árduo. Ambas as atitudes requerem um gasto de energia intelectual que muitos não estão dispostos a ter. Essas pessoas não passam de falantes preguiçosos ou indolentes, e sua mândria intelectual é um dos pecados mortais que, na ausência de arrependimento e de correção, se interpõem à conquista dos bens proporcionados pelos colóquios energicamente conduzidos.

A maioria de nós só se esforça como deveria quando a necessidade é grande e premente – nas situações em que se encontra carente de amor ou de dinheiro. Se igualmente importante e premente nos fosse a convergência das mentes, talvez fizéssemos o esforço exigido para a realização de um colóquio cuidadoso, objetivando um entendimento mútuo, certo grau de consentimento ou, ao menos, uma desavença justificada.

2

Voltemo-nos neste momento para algumas regras gerais aplicáveis a todos os tipos de colóquios sérios. Algumas delas também são praticadas quando se joga conversa fora, no colóquio lúdico que agora abordarei.

1. Escolha o local e a ocasião certos para o colóquio, de modo que proporcionem tempo suficiente para a sua realização e que o mantenham livre de distrações irritantes que o interrompam ou desviem.

Existem horas para bate-papos e horas para grandes conversas. Um coquetel ou um jantar dificilmente são ocasiões adequadas à realização de colóquios sérios. Toda vez que um colóquio tiver de dar lugar a outras atividades, como ir ao cinema ou para a cama, ele deverá ser lúdico ou sociável. O colóquio sério exige muito tempo. Em geral, uma boa conversa demora a engrenar e só é concluída com dificuldade. Normalmente, uma reunião em que muitos dos presentes não se conhecem constitui um grupo de bate-papo. Uma noite de relaxamento, na qual a maioria das pessoas está cansada, não é a ocasião adequada para a resolução dos problemas do mundo. Porém, quando amigos ou conhecidos estão presentes e partilham do ímpeto de discutir problemas de interesse comum, pode então ocorrer um debate sério e até prolongado.

Nem todas as ocasiões são apropriadas para um bom colóquio. Quando, ao adentrar o escritório de um homem com quem espera passar cerca de uma hora conversando seriamente, você encontra-o preocupado com algo que acontecera mais cedo, seja com respeito aos seus negócios, seja com respeito à sua família, dificilmente ele lhe dará sua completa atenção.

Existe uma forma de transformar um jantar com mais de seis pessoas, das quais muitas são relativamente estranhas umas às outras, numa ocasião propícia ao bom colóquio. Sou grato ao meu amigo Douglass Cater por ter me apresentado essa artimanha.

Quando o bate-papo definha e se esvai, Douglass aproveita o momento para motivar uma grande conversa, tomando a palavra e formulando uma pergunta que todos são solicitados a responder, alternadamente. Depois que cada um se expressa acerca do assunto escolhido, ele continua a presidir o encontro, moderando os intercâmbios vigorosos que se seguem à manifestação das diferentes opiniões. Isso sempre acaba por gerar uma experiência agradável e proveitosa para todos os envolvidos.

A outra artimanha capaz de transformar um jantar num momento propício a um colóquio instrutivo é aquela em que o anfitrião pede para um dos convidados proferir um breve discurso sobre algo que, segundo sabe o anfitrião, fornecerá conteúdos para um bom debate. Em seguida, o falante pode ser chamado a responder questões dos convidados, ou então os outros podem tecer comentários que desafiem o que foi dito.

2. Saiba com antecedência que espécie de colóquio você está tentando ter. A primeira regra para se ler um livro é saber que tipo de obra encontra-se à sua frente. Ler um romance é diferente de ler um livro de história, e ambos são diferentes de ler uma obra de filosofia ou um tratado científico.

Como pudemos ver, colóquios sérios também diferem uns dos outros no conteúdo que deve ser debatido e nos objetivos ou ambições da discussão. Atente para o caráter do colóquio em que você se envolverá, observando se ele será teórico ou prático e, em ambos os casos, qual é o seu propósito.

3. Independentemente do tipo de colóquio sério que você deseja ter, escolha as pessoas certas. Não tente debater tudo com todo mundo. Até mesmo alguns de seus melhores amigos podem não ser competentes em determinados assuntos, e talvez sequer se interessem por eles. Às vezes, não é a ausência de competência ou interesse o que ocorre, mas a ausência de afinidade temperamental e de algum grau de afeição pessoal. Se você por acaso souber que os

senhores Green e Robinson não gostam um do outro, não envolva-os num colóquio que suscitará tão somente seus antagonismos emocionais.

Todos nós já passamos pela experiência de abordar um tema cuja discussão envolvia pessoas inadequadas. Quando você comete esse erro, o colóquio acaba por morrer ou se desviar do tema proposto, transformando-se em fofoca ou em conversinhas sobre o tempo, sobre as manchetes do dia ou sobre eventos esportivos.

Porém, o mais importante é nunca debater com quem tem uma mente fechada para o assunto. Quando você sabe com antecedência que alguém é inflexível, não tente persuadi-lo. Quando sabe que alguém está certo acerca da verdade desta ou daquela posição, não tente mudar sua mentalidade discutindo a resposta ou o posicionamento a que ele, resoluta e irremediavelmente, aderiu ou adotou. Ele permanecerá fechado a todos os argumentos que defendam outra resposta ou posição.

A escolha criteriosa das pessoas que conversarão sobre determinados assuntos é tão importante quanto a escolha criteriosa do momento, do local ou da ocasião em que esses assuntos devem ser abordados.

4. Algumas questões são indiscutíveis, devendo-se, portanto, evitar o seu debate. A famosa máxima *de gustibus non disputandum est* costuma ser mais desobedecida do que respeitada, e ainda assim sua violação não deixa de transformar uma conversa de mão dupla em algo que nada mais é do que uma troca de preconceitos individuais.

Quanto às questões sobre as quais diferem apenas gostos ou preferências pessoais, aquilo que nelas agrada ou desagrada, o colóquio só será informativo se você for capaz de descobrir como o gosto da outra pessoa é diferente do seu ou por que ela gosta do que você desgosta. Essas diferenças não estão sujeitas a discussão, e portanto não há por que debatê-las. Fazer isso é uma absoluta perda de tempo.

Além dos gostos e desgostos, sobre os quais não se deve discutir ou argumentar, há também opiniões pessoais ou preconceitos que não podem ser sustentados nem por fatos, nem por justificativas. Quando expressas num colóquio, essas posições também devem ser apenas reconhecidas como tais, e não transformadas no assunto de uma discussão que busca a convergência das mentes. Sobre essas questões não é possível acordo, e por isso é fútil discuti-las.

Só vale a pena entrar em algum tipo de discussão se ela tratar de assuntos sobre os quais uma verdade objetiva pode ser verificada. O preconceito que nutro ou a opinião não fundamentável que sustento pode possuir uma verdade subjetiva, a qual pode ser verdadeira para mim, mas não para você. Se é esse o caso, não existem motivos para que eu tente defendê-la ou para que você tente modificá-la, levando-me a uma opinião que é subjetivamente verdadeira para você, mas não para mim. A verdade objetiva, por sua vez, consiste naquilo que é verdade não apenas para mim ou para você, mas para todas as pessoas e em todos os lugares.

5. Não dê ouvidos apenas a você mesmo. Todos nós já passamos por uma experiência como esta: Brown está falando enquanto Jones, sem escutar seu interlocutor, permanece educadamente em silêncio, só esperando que o outro termine para ingressar no colóquio e afirmar algo que pode não ter qualquer relação com o que Brown acabara de dizer.

Enquanto Jones fala, Brown também aguarda educadamente, mas sem escutá-lo. Quando Jones termina, ele então discorre mais sobre o que dissera antes ou sobre alguma outra coisa que não tem nada a ver com o que seu interlocutor havia acabado de declarar. Os dois poderiam muito bem estar conversando sozinhos em cômodos separados, pois só estiveram dando atenção a si mesmos.

6. Uma regra intimamente relacionada exige que você se esforce para compreender as perguntas antes de lhes dar uma resposta, o que deve ser feito de acordo com a sua compreensão. Muitas pessoas encaram as perguntas como meras indicações de que devem falar, expressando o que quer que lhes ocorra no momento, sendo relevante ou não para a questão.

Se por alguma razão você acha que não compreendeu a pergunta que lhe foi feita, não tente respondê-la. Ao invés disso, peça ao seu interrogador que a esclareça, que a reformule de maneira mais inteligível. Não há por que dar respostas a perguntas que não foram entendidas completamente. Concentre-se em alcançar esse entendimento antes de tentar respondê-las.

7. Caso você esteja na posição de quem pergunta, e não de quem responde, uma regra correspondente é formular as questões da forma mais clara e inteligível possível. Não seja um inquiridor preguiçoso. Não presuma que, por você compreender a pergunta, seu jeito de expressá-la a torna compreensível aos outros. Pode ser necessário fazer a mesma pergunta de várias maneiras distintas, persistindo nela até que se descubra como formulá-la de modo a ser realmente compreendida pela outra pessoa.

8. Com relação às perguntas realizadas em colóquios sérios e de qualidade, há ainda outra regra. Algumas pessoas só se julgam num colóquio quando fazem uma pergunta atrás da outra, recebendo cada resposta sem tecerem comentários e sem incluí-la nas indagações que formulam em seguida. Essa pode ser uma forma de interrogação útil sob certas condições e para determinados objetivos, mas não constitui um colóquio em que a conversa de mão dupla flui de um ponto para outro.

9. Não interrompa quem estiver falando. Quando quiser expressar o que tem em mente, não se inquiete a ponto de não conseguir esperar a outra pessoa concluir sua fala. Não a interrompa mesmo se, diante de seus comentários iniciais, você achar que sabe o que ela irá dizer. Dê-lhe a chance de dizê-lo.

10. Não seja grosseiro, evitando travar um colóquio paralelo enquanto alguém que você deveria ouvir está falando. Ao mesmo tempo, não seja educado demais. É preciso sempre ser gentil no tom e no modo como você se expressa, mas o excesso de cortesia não deve impedir o falante de dizer o que tem em mente. Se você acha que o que tem a dizer pode ser ofensivo, tente formulá-lo de forma a evitar a ofensa, mas não se cale quando aquilo que você quer expressar merece ser dito.

11. Aceite que tudo o que leva tempo deve ter um começo, um meio e um fim. Isso se aplica tanto a um colóquio quanto a uma sinfonia. Algumas coisas, tal como trabalhar numa linha de montagem, podem ter um começo, um meio e um fim, mas de maneira inorgânica. Cada parte do tempo, seja ela qual for, é como os outros. É por isso que o trabalho se torna entediante. Porém, numa

peça ou numa sinfonia, o começo, o meio e o fim estão organicamente relacionados, cada um contribuindo um pouco para o todo. É assim que um bom colóquio deve ser organizado. Quanto mais cada parte satisfizer o propósito que lhe é apropriado, melhor será a comunicação.

O início deve preparar a conversa focando-se no tema – o problema, a questão, o assunto a ser discutido. O meio, por sua vez, que deve ser a parte mais extensa, precisa explorar o problema, a questão ou o assunto e iluminar todas as diferenças de opinião que lhe forem relevantes, com o respaldo a essas opiniões sendo fornecido por meio de argumentos. O fim deve conduzir o colóquio à sua conclusão – à decisão a que se chegou, caso a comunicação tenha um objetivo prático, ou à posição consentida, caso a questão seja teórica. Se a concordância estiver fora de alcance, a conclusão então deve envolver a suspensão do julgamento e a postergação do assunto para uma futura conversa e, talvez, resolução.

3

Uma hora "jogando uma boa conversa fora" é como uma hora praticando um bom esporte amador. Ela pode ser mais do que simplesmente prazerosa; pode ser hilariamente divertida, em especial se os participantes observarem as boas maneiras e se houver concessões mútuas equivalentes.

O assunto, ou os assuntos, pode mudar e se desenvolver à medida que o colóquio progride. Pessoas, assim como acontecimentos e até ideias, podem constituir o tema em debate. É importante encontrar assuntos que interessem a todos os envolvidos. Se você perceber uma expressão fastidiosa em qualquer ouvinte, é prudente mudar o assunto, seja você o falante ou não.

Permitam-me registrar uma breve lista de coisas que devem ser evitadas quando "se joga conversa fora", no intuito de tornar a comunicação o mais prazerosa possível: (1) vulgaridade ou blasfêmia; (2) piadas e difamações étnicas; (3) prepotência, em especial quando se finge ser íntimo de pessoas influentes para causar boa impressão; (4) clichês; (5) palavras e expressões estrangeiras, exceto quando perfeitamente pronunciadas e quando compreendidas por todos; (6) clichês estrangeiros, como *entre nous, ciao, savez-vous?* e outros do tipo; (7) palavras incomuns, especialmente aquelas conhecidas somente pelo especialista ou pelo perito acadêmico; e (8) a repetição de histórias ou acontecimentos antigos, aos quais os outros já tiveram a oportunidade de escutar muitas vezes.

Existem certos assuntos que não precisam ser necessariamente evitados, mas que devem ser abordados apenas diante de amigos próximos e verdadeiramente interessados. São eles: (1) seu próprio estado de saúde ou suas operações cirúrgicas recentes; (2) seus bebês e as fofas proezas que realizam; (3) seus filhos e suas brilhantes conquistas; e (4) seu animal de estimação, a não ser que ele seja um elefante, um jacaré ou uma jiboia.

Além disso, há um determinado número de proibições a serem observadas, restrições sensatas que com muita frequência são infringidas:

1. Não divague ou mude de assunto se o colóquio estiver fluindo bem.
2. Não se meta na vida privada de outras pessoas e não faça perguntas demasiadamente pessoais.
3. Não dê espaço para fofocas maliciosas.
4. Não fale sobre questões confidenciais se você realmente espera que os outros não as espalhem por aí.
5. Não tagarele sem parar. Da mesma forma, não embeleze seu discurso desnecessariamente, valendo-se de ruídos de comunicação como "sabe", "tipo assim" e "de verdade".
6. Não diga "Veja" quando, na verdade, você quer dizer "Por favor, escute".

Do lado positivo, existe uma série de coisas dignas de serem recomendadas, como as que se seguem:

1. Pergunte aos outros sobre eles mesmos; ao mesmo tempo, tome cuidado para não falar demais sobre si próprio.
2. Module sua voz. Ria quando se sentir motivado, mas evite uma risada estridente e não ria de suas próprias observações.

3. Escute quem estiver falando e deixe claro que você está ouvindo, evitando que seus olhos e sua atenção se desviem.
4. Se outra pessoa ingressar no colóquio, atualize-a sobre o que está sendo debatido e encoraje-a a se envolver na conversa.
5. Num jantar, quebre o gelo virando-se para a pessoa ao lado e fazendo-lhe uma pergunta planejada, cuja resposta pode se tornar o assunto de um colóquio. Não fará muita diferença o conteúdo de sua pergunta se ela fizer a outra pessoa falar.

4

Minhas recomendações para a condução de colóquios impessoais – conversas entre mentes cujo objetivo pode ser teórico ou prático – podem ser divididas em dois grupos.

O primeiro deles consiste numa série de regras intelectuais que orientam o uso da mente. O outro é constituído por regras emocionais, utilizadas para controlar as próprias emoções e para mantê-las em seu devido lugar.

Na conversa pragmática que tem como objetivo a persuasão, é importante suscitar e orientar as emoções dos outros, como já pude indicar no capítulo IV. Nada mais sobre o assunto precisa ser dito aqui. Portanto, depois de indicar as regras a serem praticadas para que a própria mente seja usada com eficácia em colóquios impessoais, tratarei apenas do controle das emoções.

Algumas das regras intelectuais já foram brevemente discutidas. Outras ainda não foram mencionadas. Entre as recomendações adicionais, encontram-se as seguintes:

1. Se você é um participante ativo do colóquio ou do debate, sua primeira obrigação é a de se concentrar no que está sendo abordado. Qual é o problema a ser resolvido, a questão a ser solucionada, o assunto a ser explorado? Se o tema for complexo e composto de uma série de elementos, aqueles que estiverem envolvidos no colóquio devem dividi-lo em partes e rotulá-las, ordenando-as de

alguma forma. Isso nada mais é do que dizer: "Vamos abordar esse ponto primeiro. Depois, nos voltaremos a isso e, por fim, trataremos do ponto que resta".

O roteiro preestabelecido de uma conferência ou de uma reunião de negócios serve a esse propósito, guiando, assim, a discussão. Porém, algo parecido pode ser feito informalmente, no início de cada colóquio, se os participantes forem espertos o bastante para reconhecer que estão abordando uma questão complexa ou um assunto que pode ser subdividido.

2. Atenha-se ao assunto. Permaneça no tema em questão, seja em seu conjunto, seja em alguma de suas partes. Não entre em divagações e fale sobre algo de fora, nem insira na conversa coisas sem relevância.

Em suma, seja relevante no início, no final e sempre. Eu gostaria de poder emitir uma receita médica indicando o uso da relevância. Isso remediaria muitas das enfermidades que acometem nossas conversas. Ser relevante nada mais é do que prestar bastante atenção à questão discutida e não dizer nada que não esteja acentuadamente relacionado a ela.

Saber o que está ou não está relacionado ao tema em discussão não exige mais do que perspicácia. Ou você a tem, ou você não a tem. Se não possuí-la, há pouco mais a ser feito além daquilo que muitas pessoas julgam ofensivo: ouvir que se está desviando do assunto ou que se é irrelevante.

Quando duas pessoas se mostram capazes de conversar de maneira relevante e atendo-se ao assunto, elas se assemelham a duas pessoas que dançam juntas há muito tempo e que sabem acompanhar o ritmo uma da outra. Imaginem só o que aconteceria se, durante a dança, ambos os parceiros tentassem conduzir um ao outro, sem nunca seguir o companheiro. Muitos colóquios, repletos de conteúdos irrelevantes, se dão exatamente dessa forma.

3. Atenha-se ao assunto ou ao objetivo, mas não o fique ruminando. Não o prolongue demais. Prossiga para a questão seguinte quando essa já tiver sido suficientemente explorada ou debatida. A repetição pode ser fatal. O colóquio pode vacilar e esmorecer se as pessoas nele envolvidas forem incapazes de passar de um ponto para o outro, se um de seus participantes não conseguir reconhecer que já foi dito o bastante sobre determinado tema.

Depois de resolvida determinada questão, vá para a seguinte. Isso não significa que você não pode retornar a ela caso necessário, e sim que o colóquio precisa ter continuidade. A pessoa que não está escutando a conversa com atenção geralmente ressuscita algo que já foi abordado antes. Ir e voltar a um mesmo ponto é uma das doenças fatais do colóquio.

4. As pessoas não apenas carregam premissas implícitas ao travarem um colóquio; elas também participam dele sem saber quais são seus pontos cegos — os temas que desconhecem e que têm dificuldade de acompanhar. Tal como as suposições tácitas, os pontos cegos podem arruinar um colóquio ou, ao menos, impedir que as mentes nele envolvidas de fato convirjam.

O que precisa ser feito para superar esses obstáculos? Minha única recomendação é que você procure reconhecer quando não está conseguindo assimilar algo e peça ajuda para compreendê-lo. Você deve se conscientizar de que possui ideias preconcebidas e alguns pressupostos, devendo então recuperá-los das profundezas da sua mente e expô-los para que todos os analisem.

Como poucos colóquios começam pelo começo, e como os interlocutores carregam consigo diferentes suposições, seria melhor formular esse procedimento da seguinte forma: peça aos seus companheiros que exponham os pressupostos que você gostaria de compreender e, então, quando for a vez de eles lhe solicitarem isso, declare quais são os seus.

Com frequência, julgamos que nosso interlocutor está nutrindo algumas suposições, embora raramente saibamos ao certo quais sejam elas. Da mesma forma, pouco reconhecemos que nós mesmos as criamos. Contra isso, o melhor é que todos tentem explicitar seus pressupostos e supliquem para que eles sejam temporariamente aceitos.

Se isso não for feito, em algum momento alguém dirá: "Espere aí, Joe. O que o leva a achar que, para nós, os homens foram criados em pé de igualdade?".

Às vezes, as suposições declaradas podem se tornar o assunto mesmo da discussão. Quando, por exigir muito tempo ou um enorme retrocesso no debate, isso não for possível, o pressuposto deve ser aceito para que o colóquio siga adiante. Ele pode então prosseguir de maneira hipotética, indicando que consequências a adoção desse pressuposto acarretaria.

A sequência da discussão pode tanto lidar com os prós e os contras do pressuposto em si quanto com o que acontece se ele for considerado correto. Eu posso encarar seu pressuposto como algo que deve ser aceito por ora e, ao mesmo tempo, ainda achar que, a partir dele, você obtém uma conclusão equivocada.

5. Evite as falácias mais óbvias. Nunca discuta sobre fatos; se quiser consolidar uma opinião diferente sobre eles, faça uma pesquisa.

Nunca mencione autoridades como se tal menção fosse conclusiva. Mesmo que você não cometa esse erro, não faça referências a elas se elas não contribuírem de fato para o que está sendo dito. Essa contribuição se dá quando a autoridade em questão não é apenas usada para dar respaldo ao que você está tentando exprimir, mas quando uma declaração relevante feita por ela pode ser citada com precisão e quando sua citação realmente acrescenta algo ao que você já expressou.

Pode ser válido mencionar se George Washington era contrário à formação de alianças confusas ou a um terceiro mandato para o presidente. Aquilo que disseram homens importantes e sábios merece nossa consideração. Porém, como todos nós, esses homens às vezes cometiam erros. Ainda quando, séculos atrás, se mostravam certos acerca de determinado tema, eles podem soar equivocados hoje. As autoridades talvez sustentem a sua posição, mas apenas justificativas sensatas e o peso das evidências podem torná-la aceitável aos outros.

Semelhante ao erro de mencionar autoridades como se fossem conclusivas é o erro, ainda pior, de chamar a atenção para o tipo de pessoa com quem se alinha alguém que discorda de você. Quando você faz isso, geralmente acha que todos julgarão negativamente o tipo de pessoa a que você se refere. Isso é fazer acusações *ad hominem*, é atacar pessoas, e não a questão considerada. Essa é uma forma odiosa de irrelevância.

Nunca faça referências desnecessárias à avó de seu interlocutor, à sua nacionalidade, aos seus associados políticos ou empresariais, à sua profissão ou aos seus hábitos particulares. Todas essas táticas são exemplos de um ataque *ad hominem* falacioso. O tipo mais irritante dessa falácia é a alegação de aliança, como quando você vira para alguém e diz, julgando ser o suficiente para desabonar sua proposição: "Ah, mas então você concorda com Hitler". Hitler pode ser visto com maus olhos por todos os presentes, mas isso não significa necessariamente que ele esteja equivocado sobre tudo.

Em alguns tipos de colóquios práticos, especialmente nos que dizem respeito a assuntos empresariais ou políticos, pode ser necessário fazer uma votação, caso seja predeterminado que o peso da maioria decidirá o problema. A votação não se faz necessária se o líder de um grupo, seja ele empresarial ou político, encarar como consultiva, e não decisiva, a opinião de seus colegas. Nesse caso, é ele quem decide, às vezes contra a maioria, às vezes a favor. A votação jamais é necessária, e é sempre indesejada, quando o colóquio não conduz a ação alguma ou quando não há decisão a ser tomada.

Quando o colóquio for teórico, e não prático, interessado portanto em alcançar a verdade acerca de determinado assunto, a votação não deve nunca ser vista como a resolução do problema. Aqui, a maioria pode muito bem estar enganada. Ainda que todos os presentes discordem de você, você ainda pode estar certo. Também é possível que você esteja errado quando a maioria o julga correto. Satisfazer-se com esse consentimento pode levá-lo a fechar sua mente para debates ulteriores. Contabilizar pessoas não revela nada, a não ser o número de sins e nãos.

Tome cuidado com os exemplos. Eles com frequência dizem demais ou muito pouco, e raramente são relevantes como deveriam. O fato de você ter visto um operário de rodovia apoiado numa pá e olhando para o céu dificilmente prova que todos os operários de rodovia são preguiçosos ou que a indolência no trabalho é a causa da redução da produtividade. O colóquio passa a girar em círculos quando, após você ter mencionado determinado exemplo, todos os presentes seguem seus passos e expõem casos que sustentam o que eles têm em mente.

Os exemplos podem ser úteis, mas apenas para ilustrar o que você quer dizer, nunca para prová-lo. Eles devem ser escolhidos no intuito de tornar mais inteligível uma declaração geral. Muitas pessoas acham difícil lidar com generalizações, em especial quando elas carregam um alto nível de abstração. Um exemplo concreto, oferecido para ilustrar algo abstratamente expresso, as ajuda a compreender o que está sendo dito.

Se você não consegue entender o que os outros dizem, não é apenas adequado, mas também prudente, pedir que eles lhe forneçam um exemplo. Se não conseguirem fazer isso de maneira satisfatória, é sensato suspeitar que sequer eles compreendem completamente o que desejam dizer.

Os exemplos devem ser tratados como as suposições. Assim como elas só devem manifestar sua força após o reconhecimento e o consentimento de todos, os exemplos também só devem valer se todos compreenderem sua relevância e estiverem cientes de que eles estão sendo usados para ilustrar uma questão, não para prová-la.

Volto-me agora para as regras que dizem respeito ao controle das emoções durante um colóquio em que elas se encontram deslocadas, por ser essa uma conversa informal sobre questões teóricas ou sobre problemas práticos importantes.

O primeiro cuidado, aqui, é perceber quando você ou a outra pessoa está ficando irritada. São muitos e variados os sinais que indicam isso: você ou ela começa a gritar; você ou ela passa a repetir as coisas, erguendo a voz a cada reiteração; você ou ela se torna demasiadamente afirmativo, expressando isso com pancadas na mesa ou com outros gestos; você ou ela apela para sarcasmos, zombarias e provocações, ou então tenta rir do argumento do outro; ou, por fim, algum de vocês recorre ao tipo irrelevante de acusação *ad hominem* mencionado acima.

Ao recorrer ao sarcasmo, ao tentar ridicularizar seu oponente, ao zombar dele repisando seus erros irrelevantes ou ao fazer acusações *ad hominem*, você também o levará a perder a cabeça. E, se resistir a todos os seus ataques e permanecer tranquilo, ele provavelmente deixará você ainda mais irritado. Quando uma discussão chega a esse ponto, ela se torna uma batalha baseada em questões pequenas e golpes baixos. Ela deixa de ser um colóquio sensato ou importante, digno de ser levado adiante.

Nossas emoções desempenham um papel importante em tudo o que fazemos e dizemos, mas não nos ajudam a fazer sentido ou a conversar de maneira proveitosa e agradável. Ao perceber que está ficando irritado, nervoso ou demasiadamente agitado, deixe o cômodo e espaireça um pouco.

Se outro membro do grupo perder o controle, você terá apenas duas opções. Tente acalmá-lo ou aplacá-lo de modo amistoso. Se isso não funcionar, mude um pouco de assunto. Ele provavelmente é tão bacana quanto você, mas por alguma razão foi atingido num ponto sensível. Deve sempre ser seguido o aviso dos donos de bar: "Se vocês querem brigar, façam isso lá fora". Suspenda o colóquio quando ele deixar de ser uma conversa impessoal entre duas mentes e se tornar um conflito apaixonado.

Não deixe que um debate impessoal se torne uma querela pessoal. Discutir não é agredir. Não há por que ganhar uma discussão humilhando ou atacando seu oponente.

Preste atenção aos resultados da desordem emocional em você mesmo. Ela o levará a suprimir questões que você realmente compreende, mas que enfraquecem sua posição, pois você não quer "dar o braço a torcer". Por razões puramente emocionais, você julgará esse assentimento desagradável.

Da mesma forma, por razões puramente emocionais, você poderá se recusar a reconhecer que está errado quando sabe que de fato está. Sem dúvida, não há por que ganhar uma discussão por motivos pessoais ou emocionais que o instigam a derrotar alguém quando sua mente já sabe, ou posteriormente descobrirá, que ele está certo e você, errado.

CAPÍTULO XII
A CONVERGÊNCIA DAS MENTES

1

A convergência de duas mentes pode consistir num entendimento mútuo que se dá quando elas ainda estão em desacordo ou pode consistir num acordo que resulta de seu entendimento mútuo.

Todos os colóquios impessoais, tenham eles um objetivo teórico ou prático, devem objetivar a convergência das mentes em alguma dessas formas.

Os colóquios práticos muitas vezes fracassam porque a falta de compreensão não permite que uma decisão seja alcançada. E, mesmo existindo compreensão suficiente, a discórdia pode impedir a prática de determinada ação.

Colóquios teóricos que envolvem as pessoas na busca de alguma verdade objetiva podem ser proveitosos mesmo se não terminarem com a convergência das mentes. A busca da verdade objetiva é uma empreitada árdua e difícil. Um bom colóquio pode ajudar os indivíduos nele engajados a fazerem algum progresso, mas raramente, talvez nunca, lhes permitirá alcançar seu objetivo de maneira definitiva e incorrigível.

O objetivo final de qualquer questão relacionada a verdades objetivas é o acordo universal, mas, sobre certos assuntos desse tipo, isso é algo que pode levar muito tempo. A busca da verdade passa por diversas etapas. Em cada uma delas, é possível fazer algum progresso e, ainda assim, estar distante do fim almejado.

As pessoas podem se envolver em colóquios e mais colóquios sobre um tema cuja verdade lhes interessa. Cada um desses colóquios pode representar uma fase progressiva em sua busca da verdade. Caso algum avanço seja experimentado, o fato de nenhum deles alcançar um entendimento mútuo e um acordo final, conclusivo e incorrigível não os torna inúteis.

Com essas observações gerais consideradas e assimiladas, vejamos agora como os envolvidos nesses colóquios ou debates devem agir para alcançar o entendimento e a concórdia – se não para sempre, ao menos momentaneamente.

2

A primeira regra a ser seguida é esta: não discorde – ou concorde, se for o caso – de ninguém se você não tiver certeza de que compreendeu sua posição. Discordar antes de entender é impertinente. Concordar é inane.

Para certificar-se de que você compreendeu o que foi dito, exercite sua cordialidade e formule, antes de discordar ou concordar, a seguinte pergunta: "Se compreendi bem, você está dizendo que _____?". Preencha a lacuna reformulando, com suas próprias palavras, o que você acha que a outra pessoa está afirmando. Ela pode responder-lhe dizendo: "Não, não foi isso o que eu disse ou quis dizer. Minha posição é esta". Então, depois de seu interlocutor formular novamente seu posicionamento, você deve declarar de novo, com suas próprias palavras, o que compreendeu. Se a outra pessoa ainda divergir da sua interpretação, continue com esse questionário até que ela lhe diga que você a compreendeu exatamente da forma desejada. Só então é que você possuirá o embasamento indispensável para concordar ou discordar dela de maneira inteligente e sensata.

Esse procedimento exige tempo. Ele requer paciência e perseverança. A maioria das pessoas ansiosas por levar o debate adiante o deixa de lado. Elas estão dispostas a serem impertinentes ou vazias, concordando ou discordando com o que não assimilam. Elas ficam satisfeitas com acordos e desacordos apenas aparentes, e não procuram uma convergência mental genuína.

Ao contrário do acordo aparente, o acordo real se dá quando duas pessoas, interessadas em determinada questão, a compreendem igualmente e, ainda assim, fornecem a ela respostas incompatíveis.

Ao contrário do desacordo aparente, o desacordo real se dá quando duas pessoas, interessadas em determinada questão, não a compreendem exatamente da mesma forma. Quando suas mentes não encontram um entendimento mútuo do tema, as respostas incompatíveis que dão constituem uma diferença de opinião que não é um desacordo genuíno, embora assim pareça. O desacordo real ocorre somente quando, com suas mentes encontrando um entendimento mútuo do problema, os interlocutores lhe fornecem uma resposta incompatível.

Quando duas pessoas se encontram diante de um desacordo real, ainda é preciso alcançar a convergência de suas mentes acerca da própria discórdia. Essa convergência toma a forma da compreensão desse desacordo. Para que isso seja realizado, cada um dos interlocutores precisa esquecer o partidarismo e substituí-lo por uma espécie de imparcialidade diante da posição adotada pela outra pessoa. Por atitude de imparcialidade, refiro-me à tentativa de entender por que o interlocutor sustenta a visão apresentada. Cada envolvido não deve ser capaz apenas de formular a posição de seu interlocutor de um modo que ele aprove, mas também de elencar as razões que dão respaldo ao seu posicionamento.

O envolvido, portanto, admite compassivamente uma posição com a qual não concorda. Dessa forma, ele ao menos compreende por completo a visão rejeitada. Compreender discordando – o desacordo inteiramente compreendido – é a menor convergência possível entre as mentes. Uma convergência mental maior consiste em entender concordando – é o acordo inteiramente compreendido.

Todos nós devemos atentar para a obrigação moral que a busca da verdade objetiva nos impõe. Se nos encontramos num real desacordo com outras pessoas, temos de nos esforçar incansavelmente para resolver a discórdia. Nunca devemos desistir da tentativa de superá-la e de alcançar um consentimento.

Se por acaso um colóquio não conseguir isso, precisamos tentar de novo em algum momento posterior e continuar tentando, por mais demorado e difícil que seja o processo. Nunca devemos interromper o debate por julgá-lo infrutífero.

Fazer isso equivale a abandonar a busca da verdade e a tratar o problema como se ele fosse uma simples questão de gosto, como se a discórdia fosse tão somente um conflito entre opiniões puramente pessoais e intoleráveis, entre preconceitos ou preferências puramente subjetivos, sobre os quais não se deveria procurar a concórdia nem discutir.

Caso discorde genuinamente da posição alheia, você deve ser capaz de explicar os fundamentos de seu desacordo, dizendo uma ou várias das frases abaixo.

1. "Acho que você acredita nisso porque está desinformado acerca de alguns fatos ou razões que trazem implicações cruciais ao problema." Em seguida, esteja preparado para indicar a informação que você julga ter sido ignorada pelo interlocutor e que, se considerada, poderia mudar sua opinião.

2. "Acho que você acredita nisso porque está mal informado acerca de questões criticamente relevantes." Esteja preparado, então, para indicar os equívocos que a outra pessoa cometeu e que, se corrigidos, a levariam a abandonar sua posição.

3. "Acho que você está suficientemente informado e possui uma boa compreensão dos indícios e das razões que sustentam sua posição, mas acabou cometendo erros de raciocínio e tirando de suas premissas conclusões erradas. Suas deduções são falaciosas." Em seguida, esteja pronto para indicar os erros lógicos que, se corrigidos, levariam seu interlocutor a uma conclusão diferente.

4. "Acho que você não cometeu nenhum dos erros precedentes e que você raciocinou de maneira sólida a partir de fundamentos adequados à conclusão obtida. Porém, também acho que seu pensamento sobre o assunto está incompleto. Você deveria ter ido além e obtido outras conclusões, que alteram e qualificam a que você alcançou." Então, seja capaz de dizer quais são essas conclusões e como elas alteram ou qualificam a posição assumida pela pessoa de quem você discorda.

3

As conversas de natureza prática entre duas mentes que precisam decidir como levar a cabo uma ação são infrutíferas se não houver um acordo ou um desacordo compreendido.

Aqui, devido à urgência que cerca a tentativa de resolver problemas práticos através do debate, a busca da verdade não pode ser interminável. Uma decisão às vezes tem de ser tomada sem o acordo de todos os envolvidos. Opiniões divergentes talvez devam ser registradas para tentativas futuras de resolver questões semelhantes, tal como acontece durante a apresentação de decisões judiciais tomadas através do voto, na qual são expostas visões divergentes e concordantes acerca do veredito formulado.

Com isso em mente, é importante reconhecer que pensar e falar sobre problemas práticos são coisas que podem e devem acontecer em três níveis distintos. O mais alto deles – aquele que está mais distante de uma decisão de ordem prática e da ação que dela se segue – diz respeito aos princípios universais aplicáveis ao problema analisado. Diante desses princípios, deve ser sempre concebível a convergência das mentes. Eles possuem o tipo de verdade objetiva que é verificável. Sendo esse o caso, um acordo também deve ser possível.

Um nível abaixo, temos as regras ou as diretrizes amplas que representam a aplicação dos princípios universais a diversas circunstâncias contingentes, variáveis no tempo e no espaço. Nesse nível, pode haver discórdias entre homens sensatos, o que talvez seja insolúvel. O mesmo se dá com o terceiro e mais baixo dos níveis, no qual regras e diretrizes gerais são aplicadas a casos particulares. Aqui, no processo de casuística, é muito mais provável que pessoas sensatas discordem umas das outras.

Deve ser possível alcançar, por exemplo, um acordo sobre os princípios universais da justiça, mesmo que há muito exista controvérsias acerca da natureza desses mesmos princípios. Suponhamos, por ora, que duas pessoas discutindo um problema prático, cuja solução envolve os princípios da justiça, estejam completamente de acordo. A convergência de suas mentes nesse nível não impossibilita que elas discordem uma da outra em seguida, ao passarem para um nível inferior e discutirem quais regras ou diretrizes deveriam ser adotadas quando da aplicação dos princípios acordados às circunstâncias contingentes que geram o problema em discussão.

Essa convergência impede ainda menos a discórdia quando elas se encaminham para o nível mais baixo e, com algum grau de concórdia acerca das regras ou diretrizes a serem adotadas, tentam aplicá-las casuisticamente, a fim de decidirem o que fazer aqui e agora, neste caso em particular. A discórdia entre elas, nesse momento, provavelmente terá origem nas diferentes avaliações que fazem das implicações de tal ato, ou então nos diferentes julgamentos acerca das circunstâncias que devem ser levadas em consideração.

Um erro que muitos cometem, e que deveria ser incansavelmente evitado, é o de pensar que a concórdia alcançada diante dos princípios universais não tem importância prática, pois não conduz inevitavelmente a um acordo sobre as regras ou diretrizes a serem adotadas ou sobre as decisões que devem resultar da tentativa de aplicar, a casos particulares, essas regras ou diretrizes gerais.

A formulação dessas regras ou diretrizes conflitantes fundamenta-se na compreensão e na aceitação mútuas dos princípios universais. As diferenças de opinião sobre elas, assim como sobre sua aplicação a casos ou problemas particulares, não teriam sentido se não estivessem fundamentadas na aceitação dos princípios universais.

Dessa forma, as pessoas não devem deixar de lado um acordo acerca de princípios universais, assim como não devem pensar nesse acordo como algo que não tem relevância prática, pois não conduziria inexoravelmente a uma conformidade no nível das regras gerais ou no nível, ainda mais baixo, das decisões particulares.

4

Tendo dito que o desacordo compreendido é um grande bem e que o acordo compreendido é um bem ainda maior, devo acrescentar algumas advertências finais sobre a posição da convergência das mentes como aspiração definitiva de todos os colóquios impessoais, tantos os teóricos quanto os práticos.

Em primeiro lugar, permitam-me dizer que não devemos nos contentar com muito pouco, pois os seres humanos, sendo racionais, devem procurar alcançar o objetivo desejado. Eles não devem cair na tentação, causada pela indolência ou pelo ceticismo imoderado, de evitar as dificuldades existentes quando se tenta seguir as regras ou as recomendações que aumentam ao máximo a qualidade do colóquio ou do debate.

Ao mesmo tempo, não podemos esperar demais. Os seres humanos – tão passionais quanto intelectuais, com suas mentes frequentemente obscurecidas por suas emoções e com todas as outras limitações às quais elas, falíveis, se sujeitam – devem se contentar com alguma aproximação do ideal, e não tentar atingir, desordenadamente, sua realização plena, ao menos não num momento ou num local predeterminados.

Nós jamais seremos capazes de dominar nossas emoções, e embora seja altamente desejável tratá-las da maneira adequada, não podemos esperar que isso aconteça. Nós nunca sairemos de nós mesmos e entraremos na mente da outra pessoa, vendo as coisas segundo a perspectiva dela. O partidarismo e a parcialidade não podem jamais ser substituídos pela atitude imparcial que permite ao envolvido aceitar a posição de seu interlocutor da mesma forma que assume a sua.

Se determinado colóquio termina com os interlocutores concordando mutuamente acerca de uma verdade objetiva, o problema não deve ser dado como encerrado. Ainda é preciso mais para que sejam compreendidos os pressupostos e implicações do acordo. Se o colóquio terminar com um desacordo compreendido, também há mais a ser feito.

Nesse ponto, o relevante é advertir que as questões podem ser levadas adiante em outro momento e local. Interrompa a discussão e volte ao assunto outro dia. Essa é uma advertência particularmente sensata se o colóquio alcançar um impasse, tal como acontece com muitos colóquios de duração demasiadamente limitada.

Por fim, permitam-me dizer que o bom colóquio nos convida a um exercício de virtude moral. Ele requer a fortaleza necessária para a realização dos sacrifícios que o tornam bom. Ele exige a temperança necessária para o controle das paixões. E, acima de tudo, exige a justiça necessária para que a outra pessoa receba o que lhe é devido.

CAPÍTULO XIII
SEMINÁRIOS: ENSINANDO E APRENDENDO ATRAVÉS DO DEBATE

1

As preleções e as outras formas de discurso instrutivo são ensinos realizados através da exposição, ganhando o nome de ensino didático. No seminário, o que ocorre é diferente. Ele é o ensino que se dá através de um debate conduzido por meio de perguntas e respostas, estas frequentemente contestadas. Esse tipo de ensino é o chamado socrático.

Existe ainda uma terceira forma de ensino: o treinamento. Ela é tão indispensável para o desenvolvimento das habilidades intelectuais quanto para o desenvolvimento de habilidades físicas e atléticas. As habilidades da leitura e da escrita, da fala e da escuta, tal como as da observação, do cálculo, da medição e da estimativa, não podem ser assimiladas através da instrução didática. Hábitos proficientes só podem ser apreendidos através da supervisão de um treinador, que corrige os passos em falso e exige as atitudes apropriadas.

As três formas de ensino – o ensino didático, o ensino socrático e o treinamento – estão relacionadas a três tipos de aprendizado. A aquisição de um conhecimento sistemático nos campos básicos de estudo é o tipo de aprendizagem assistida pelo ensino didático – o ensino pela exposição, realizado através de lições e de livros escolares. O desenvolvimento de todas as habilidades intelectuais, por sua vez, é o tipo de aprendizado que necessita de treinamento. Por fim, a terceira forma – o método socrático, que instrui através de perguntas e debates – facilita o tipo de aprendizado que amplia a compreensão de ideias e de valores fundamentais.

Essa distinção tripartite dos tipos de ensino e dos tipos de aprendizado, diagramadas na página seguinte, é o ponto central de *The Paideia Proposal: An Educational Manifesto* [A Proposta Paideia: Um Manifesto Educacional], publicado no ano passado. Embora a autoria do livro seja atribuída ao meu nome, ele expressa visões partilhadas com meus companheiros, num esforço de propor uma reforma radical, e muito necessária, ao sistema básico de educação norte-americano.

Tal reformulação exige, entre outras coisas, o resgate do treinamento em nossas escolas. Ele praticamente desapareceu dos primeiros doze anos de formação. Do mesmo modo, também se faz necessária a inclusão do ensino socrático, método seminarista de instrução. Os seminários, nos quais o ensino se dá através do questionamento e do debate, não estão presentes nos primeiros doze anos de ensino escolar, com raríssimas exceções. Eles também só estão presentes em pouquíssimas faculdades.

Essa ausência cria um vão enorme e deplorável no progresso da mente em desenvolvimento. A partir de minha vasta experiência no assunto, posso também afirmar que o ensino através de seminários é o que oferece a contribuição mais frutífera ao contínuo crescimento da mente adulta.

	Coluna I	Coluna II	Coluna III
Objetivos	AQUISIÇÃO DE CONHECIMENTO SISTEMÁTICO	DESENVOLVIMENTO DE HABILIDADES INTELECTUAIS – HABILIDADES DE APRENDIZADO	COMPREENSÃO AMPLIADA DE IDEIAS E VALORES
	por meio de	por meio de	por meio de
Instrumentos	INSTRUÇÕES DIDÁTICAS PRELEÇÕES E RESPOSTAS LIVROS ESCOLARES E OUTROS AUXÍLIOS	TREINAMENTOS, EXERCÍCIOS E PRÁTICAS SUPERVISIONADAS	INTERROGATÓRIO MAIÊUTICO OU SOCRÁTICO E PARTICIPAÇÕES ATIVAS
	nas três áreas do saber	na realização das seguintes atividades	em
Áreas, operações e atividades	LINGUAGEM, LITERATURA E BELAS-ARTES MATEMÁTICA E CIÊNCIAS NATURAIS HISTÓRIA, GEOGRAFIA E ESTUDOS SOCIAIS	LEITURA, ESCRITA, FALA E ESCUTA CÁLCULOS, RESOLUÇÃO DE PROBLEMAS, OBSERVAÇÕES, MEDIÇÕES, ESTIMATIVAS EXERCÍCIO DO JULGAMENTO CRÍTICO	DEBATES SOBRE LIVROS (EXCETUAM-SE OS LIVROS DIDÁTICOS) E SOBRE OBRAS DE ARTE ENVOLVIMENTO EM ATIVIDADES ARTÍSTICAS, COMO A MÚSICA, O TEATRO E AS ARTES VISUAIS

As três colunas não correspondem a cursos isolados. Da mesma forma, cada tipo de ensino e de aprendizado não está necessariamente confinado a uma única classe.

2

Já se vão sessenta anos desde que comecei a conduzir seminários, tanto com colegiais e universitários quanto com adultos que se dedicaram à leitura e ao debate dos grandes livros, ou então que participaram dos seminários executivos do Aspen Institute.

Minha longa experiência deixou claro que o ensino seminarista, seguindo não o modelo alemão, mas o grego ou socrático, não pertence somente às faculdades, devendo ser levado também às instituições de ensino médio, onde os alunos se mostraram igualmente capazes de se beneficiar de tais eventos. Em alguns aspectos, eles se mostraram participantes ainda melhores do que seus equivalentes universitários.

Também estou convicto de que o método dos seminários é apropriado ao contínuo aprendizado dos adultos, em especial quando falamos da compreensão de ideias e questões basilares. No entanto, isso pode, e deve, ter início muito antes.

Nos últimos anos, enquanto o Grupo Paideia trabalhava para elaborar propostas para a reformulação educacional norte-americana, eu conduzi, no Aspen Institute, seminários para jovens com idades entre dez e dezoito anos. Convidado por várias instituições escolares, viajei por todo o país para apresentar o método socrático de instrução, conduzindo seminários para alunos de ensino médio, sob a observação de seus professores. A partir de minha experiência mais recente, convenci-me por completo da necessidade de introduzir esse tipo de ensino e aprendizado em todos os níveis da educação básica.

Os alunos que tiveram a oportunidade de participar desses seminários acabaram por me dizer, valendo-se de termos extremamente pungentes, que aquela fora a primeira vez em que haviam sido levados a pensar sobre ideias e problemas, a primeira vez em que tinham expressado e defendido suas visões sobre assuntos importantes.

Uma ocasião após a outra, ficou evidente que a formação anterior desses estudantes não havia lhes oferecido qualquer preparação para o tipo de aprendizado que o seminário proporciona. Eles não tinham sido preparados para pensar por conta própria diante de ideias importantes, nem para ouvir bem ou falar de modo claro e coerente.

Ideias, problemas, valores: esses são os assuntos ideais para os seminários. Ler livros ou trechos clássicos é algo que fornece conteúdo para debates, mas outros materiais de leitura, se bem escolhidos, também servem a esse propósito, tal como ocorre nos seminários executivos do Aspen Institute.

É possível conduzir seminários até mesmo a partir de métodos de interrogação que não se valem de nenhum material de leitura. Em vez disso, os participantes podem ser levados a afirmar como compreendem determinada ideia fundamental, como o progresso, a liberdade ou a justiça. Depois que suas respostas são expostas e examinadas por uma inquisição posterior, o debate passa a explorar a ideia por todos os ângulos possíveis e a lidar com os problemas gerados pelas visões conflitantes acerca de sua importância.

Seriam necessárias muitas páginas para registrar minha experiência com os seminários executivos do Aspen Institute durante os últimos trinta anos, nos quais aprendi bastante sobre as ideias discutidas – talvez até mais do que os outros participantes envolvidos.

Em vez disso, para o bem dos leitores deste livro, incluí no Apêndice II um discurso que fiz, em 1972, no Aspen Institute. Ele não somente indica a sequência de leituras usada nos seminários, mas também resume o que eu e os outros participantes aprendemos ao debatermos sobre as ideias lidas.

No restante deste capítulo, tentarei destilar, das experiências que tive ao ensinar por seminários – sob uma variedade enorme de circunstâncias e para uma variedade enorme de grupos –, as sugestões e recomendações formuláveis para a sua condução.

Todas as regras e recomendações apresentadas nos dois capítulos seguintes, e que têm como objetivo tornar todos os tipos de colóquio mais proveitosos e agradáveis, se aplicam, claro, ao tipo de colóquio que se dá num seminário. A discussão seminarista não é nada mais do que aquele gênero de colóquio ou de conversa de mão dupla em que, do início ao fim, um ou dois moderadores controlam o curso da conversa e a direção que ela toma.

As outras regras ou recomendações utilizáveis dizem respeito sobretudo à forma como os moderadores devem desempenhar a sua função e à forma como os participantes devem tentar se comportar, de modo que tornem fecundos os seminários.

3

Permitam-me começar dizendo no que não consiste o ensino seminarista realizado através de perguntas e debates.

Ele não é um jogo em que um professor formula perguntas cujas respostas só podem ser "Sim" ou "Não", dizendo apenas se elas estão certas ou erradas.

Não é uma preleção disfarçada, na qual o professor formula perguntas e, após uma breve pausa ou após ouvir uma ou duas respostas insatisfatórias, passa a responder extensivamente suas próprias indagações, oferecendo uma lição pontuada pelas questões que ele mesmo faz.

Não é uma reunião informal, na qual todos se sentem igualmente livres para expressar opiniões repletas de preconceitos individuais ou para relatar experiências que, de alguma forma, são consideradas altamente importantes por seu narrador.

Nenhuma das violações acima proporciona o tipo de aprendizagem que um seminário deve proporcionar quando conduzido, de maneira apropriada, através de perguntas e respostas e através do debate sobre a importância que elas têm. Para o que objetiva esse aprendizado, faz-se necessário um tema discutível – de forma ideal, ideias, problemas ou valores propostos pelo moderador, com ou sem a utilização de leituras.

Há ainda outros pré-requisitos. O primeiro é a duração. Um bom seminário precisa de tempo suficiente para o seu desenvolvimento – pelo menos uma hora e meia, mas em geral duas horas ou mais. Canônicas, as aulas de cinquenta minutos são muito curtas para a realização de um debate apropriado.

O segundo pré-requisito diz respeito ao mobiliário do cômodo em que o seminário deve ocorrer. O local precisa possuir uma mesa quadrada e vazada, ou então, o que é ainda melhor, uma daquelas mesas grandes e hexagonais que são usadas no Aspen Institute, ao redor da qual os participantes se sentam e, durante a fala, conseguem encarar uns aos outros. A sala do seminário deve ser o contrário da sala de aula comum ou do salão de conferências, nos quais os professores ou palestrantes ficam diante de ouvintes que, para escutar o que está sendo dito, sentam-se em fileiras. Esse tipo de sala pode ser ideal para o discurso ininterrupto e para a escuta silenciosa, mas isso está longe de se aplicar à boa conversa de mão dupla em que todos são falantes e ouvintes.

O terceiro pré-requisito é o estado de espírito que os participantes levam ao seminário. Ele deve ser aberto e dócil.

Todos os participantes, incluindo o moderador, devem estar preparados para mudar de opinião de acordo com o resultado do debate. Eles devem estar abertos a novas visões. Eles devem ser dóceis ao ponderar sobre essas perspectivas, não sendo nem teimosamente resistentes àquilo que nunca pensaram antes, nem passivamente submissos.

A virtude da docilidade (isto é, da abertura ao ensino), que é a virtude cardeal de todas as formas de aprendizado, deve predispor os participantes a examinar as novas visões antes de as adotarem ou rejeitarem, assim como a ficar receptivos a elas, para o bem da análise. Carecem de docilidade as pessoas teimosamente desdenhosas ou polêmicas, que discutem apenas por discutir, e não para aprender, e as pessoas que são submissas ou condescendentes a ponto de não exercitarem a própria mente.

4

São três as tarefas do moderador: (1) formular uma série de perguntas que controlam e direcionam o debate; (2) analisar suas respostas, tentando evocar o que as motiva ou as implicações que trazem; e (3) envolver os participantes numa conversa de mão dupla quando as visões sustentadas parecerem conflitantes. O colóquio que então se segue, envolvendo os próprios participantes e, às vezes, também o moderador, é o coração de um bom seminário.

No intuito de desempenhar bem a segunda e a terceira tarefas, o moderador deve ser tão ativo em sua escuta quanto em seu interrogatório. A partir de minha longa experiência com os seminários, sei que essa é a obrigação mais importante do moderador, assim como a mais difícil de ser adequadamente cumprida.

A energia exigida para que cada um dos vinte ou 25 participantes de um seminário seja ouvido é muito desgastante, mas o moderador deve se esforçar para vencer o cansaço e continuar escutando, de maneira ativa, todo o evento. É demasiadamente fácil proferir duas ou três palestras boas num único dia, mas duvido muito que alguém tenha energia suficiente para conduzir mais de um bom seminário entre o nascer e o pôr do sol.

Um vigoroso esforço por parte do moderador também é exigido durante o interrogatório. Ele não estará desempenhando seu papel se apenas se sentar como presidente do encontro e convidar os participantes a falar alternadamente, chamando-os na sequência definida. Isso pode manter a ordem, evitando que todos falem de uma só vez; porém, certamente não produz o tipo de aprendizado que um seminário deve estimular. Apenas o questionamento socrático pode conseguir isso.

Esse tipo de aprendizagem deriva essencialmente das perguntas formuladas pelo moderador. Elas devem ser questões que levantam problemas; questões que levantam outras questões assim que são respondidas; questões que raramente podem ser respondidas com um simples "Sim" ou "Não"; questões hipotéticas cujos pressupostos trazem implicações ou consequências que devem ser examinadas; questões que sejam complexas e que tenham muitas partes relacionadas, as quais devem ser abordadas de maneira sistemática.

Acima de tudo, o moderador deve se certificar de que as perguntas feitas foram ouvidas e compreendidas, de que elas não foram recebidas apenas como sinais de que a pessoa questionada deve responder com o que estiver em sua cabeça, seja isso relevante ou não à resposta solicitada.

É necessário que o moderador seja tão insistente acerca da compreensão de suas perguntas, que ele deve estar preparado para perguntar as mesmas coisas incessantemente, valendo-se de reformulações e de diferentes exemplos para esclarecê-las. Os participantes precisam ser advertidos de que só devem responder uma pergunta quando estiverem relativamente certos de que a compreenderam. Caso contrário, eles devem continuar fazendo com que o moderador reformule a questão.

Tudo isso exige uma intensa atividade e um grande gasto de energia, tanto por parte dos moderadores quanto por parte dos participantes. Não é preciso dizer que os moderadores e os participantes também precisam ouvir com atenção e falar da maneira mais clara possível. Ninguém tem a obrigação de se sujeitar a uma escuta meio indisposta ou a um discurso confuso e incoerente. Da mesma forma, ninguém deve se contentar em ouvir declarações que parecem universalmente aceitas sem buscar as razões que lhes dão suporte ou as consequências que sua verdade acarreta.

5

Eu acabei de descrever o que está envolvido na condução de seminários em que o método socrático de investigação é realizado, mas não me concentrei em seu tipo. Existe o tipo de seminário em que todos os participantes são adultos, como no caso daqueles que realiza o Aspen Institute, nos quais o moderador pode não ser um professor. Bem diferentes são os seminários escolares e universitários, nos quais o moderador é um professor e há diferenças de idade e maturidade entre ele e os participantes, mais jovens.

No primeiro caso, o seminário satisfaz a contínua aprendizagem de pessoas maduras, que há muito já deixaram a escola. No segundo, ele constitui uma parte essencial da educação, a qual, na melhor das hipóteses, é um estágio da formação que prepara os alunos para o aprendizado contínuo de sua amadurecida vida adulta. Sem isso, ninguém pode se tornar uma pessoa instruída, independentemente da quantidade ou da qualidade da instrução que recebera quando novo.

Quando professores são chamados para moderar seminários escolares, eles logo percebem que o ensino socrático é completamente diferente do tipo de ensino didático que estão acostumados a praticar, o qual é provavelmente o único tipo de ensino que já realizaram.

O ensino didático os coloca como superiores aos alunos em conhecimento. Se assim não fosse, ninguém os consideraria professores competentes. Eles possuem o conhecimento que os alunos precisam assimilar. As lições dadas têm como objetivo transferir um conhecimento da mente do professor para a mente dos alunos.

Não é assim que o ensino socrático funciona nos seminários. Nele, em seu papel de moderador, o professor deve ser apenas um aprendiz mais competente do que o aluno – mais competente no esforço de alcançar uma compreensão dos conteúdos discutidos e mais competente ao fazer isso através de um colóquio ou de um debate inteligente.

Como líder de um debate, o professor *não* deve encarar a si mesmo como detentor de todas as respostas certas ao que está sendo perguntado e explorado. Para muitas das perguntas formuladas, não existe uma única resposta correta, mas várias, todas competindo por atenção, compreensão e julgamento. A competência do líder do debate, portanto, deve consistir na percepção das perguntas importantes, cuja variedade de respostas merece consideração e exige julgamento.

Quando, antes de sua publicação, começaram a circular notícias sobre o *The Paideia Proposal*, o *The American School Board Journal* me pediu para escrever um artigo sobre minha experiência como condutor de seminários que tinham a participação de jovens. Também me foi pedido que desse tantos conselhos quantos pudesse sobre a maneira de inserir esse tipo de ensino em todas as escolas do país, ao menos a partir da sétima série.

No Apêndice III, incluí trechos do artigo publicado, partes que expressam minhas recomendações para a organização e a condução desses tipos de seminários.

Quinta parte

Epílogo

CAPÍTULO XIV
O COLÓQUIO NA VIDA HUMANA

1

Das atividades realizadas pelos homens, conversar uns com os outros é de todas a mais humana. Mais cedo ou mais tarde, pode até mesmo ser a única que acabará por preservar a radical distinção entre seres humanos e animais e entre homens e máquinas.

Em nosso século, os homens conseguiram treinar chimpanzés para que utilizassem a língua dos sinais, valendo-se de vocabulários rigorosamente limitados. Para aqueles cuja interpretação fantasiosa permanece acrítica, os primatas parecem fazer declarações e responder perguntas humanas. Seja como for, os chimpanzés não falam entre si, e na natureza isso não acontece de forma alguma. Sua comunicação natural, tal como ocorre com todos os outros mamíferos desenvolvidos, incluindo aí os golfinhos-nariz-de-garrafa, se dá através de sinais, mas não daqueles que se referem a objetos da percepção ou do pensamento.

A questão, aqui, não é o homem ser o único animal a se comunicar com seus semelhantes. Todos os animais sociais apresentam alguma forma de comunicação. A questão é o tipo exato de comunicação que se dá. A comunicação humana realizada através de uma conversa de mão dupla pode alcançar a convergência das mentes, a partilha de percepções e pensamentos, de emoções e desejos.

Pensamentos e emoções comuns, assim como os acordos e desacordos justificados, fazem dos homens os únicos animais que de fato *comungam* uns com os outros. Embora indiquem suas emoções ou impulsos, cada membro das demais espécies permanece fechado. Ele não comunga com os outros ao se comunicar. A comunidade humana não existiria sem essa comunhão, a qual, por sua vez, não existiria sem o colóquio.

Nosso século também viu a produção de aparelhos semelhantes a computadores, elogiosamente chamados de máquinas de inteligência artificial. Seus exponentes e inventores alegam que, em breve, elas serão capazes de fazer tudo o que a mente humana permite aos homens. E eles vão além, prevendo que um dia essas máquinas simularão, de forma característica, todo tipo de atividade humana, tal como a leitura e a escrita, a escuta e a fala, o cálculo, a resolução de problemas e a tomada de decisões. Eles afirmam que o desempenho das máquinas nessas atividades será indistinguível do desempenho humano.

Há três séculos, René Descartes, famoso filósofo francês, atacou essa previsão ao afirmar que sempre haveria ao menos uma coisa a separar o desempenho das máquinas do desempenho dos seres humanos. Esse algo que as máquinas nunca seriam capazes de simular era, segundo ele, o colóquio. Para Descartes, esse era o ponto crucial que diferenciava os homens dos selvagens e os homens das máquinas.

Na Parte V de seu *Discurso sobre o Método*, Descartes admitiu que máquinas complexas poderiam ser construídas para simular, com sucesso, o desempenho de outros animais — animais selvagens, pois não possuem intelecto, razão ou capacidade de pensar conceitualmente. Se existissem máquinas com os órgãos e as aparências de um macaco ou de qualquer outro animal não dotado de razão, Descartes concordava que "seríamos incapazes de descobrir que sua natureza não é a mesma dos outros animais". Em outra ocasião, ele escreveu:

> É um fato deveras notável não existirem pessoas tão depravadas ou tolas, sem excetuarmos aqui sequer os idiotas, que sejam incapazes de juntar algumas palavras, formando a partir delas uma frase pela qual podem tornar conhecidos os seus pensamentos; ao mesmo tempo, não há outro animal, por mais perfeito e bem circunstanciado que seja, capaz de fazer o mesmo. (...)
>
> Isso não demonstra apenas que os animais selvagens possuem uma razão inferior à do homem, mas também que eles não possuem razão alguma, visto ser claro que muito pouco é preciso para que alguém consiga falar. (...)

Uma tese central na filosofia de Descartes afirmava que *a matéria não pode pensar*. Dessa forma, era coerente com o teor de seu pensamento usar máquinas —

mecanismos puramente materiais – para desafiar seus oponentes materialistas. Eis a passagem em que ele lança o desafio. Cito dela apenas a primeira parte.

> Se existissem máquinas que se assemelhassem a nossos corpos e imitassem, tanto quanto moralmente [isto é, praticamente] possível, nossas ações, teríamos sempre à disposição duas formas de reconhecer que, apesar de tudo, elas não seriam verdadeiros homens.
>
> A primeira é que tais máquinas jamais seriam capazes de utilizar discursos ou outros sinais como nós, quando desejamos comunicar nossos pensamentos a outrem. Pois somos muito bem capazes de assimilar uma máquina que conseguisse proferir palavras e até mesmo responder a algum estímulo corporal a ela, capaz de causar alguma alteração em seus órgãos. Por exemplo, se tocada em determinado local, ela poderia afirmar que sentia dor, e assim por diante. Porém, jamais ocorreria de ela dispor seu discurso de diferentes maneiras, a fim de responder adequadamente a tudo que possa ser dito em sua presença, como se mostra capaz de fazer até o mais rasteiro dos homens.

Da maneira como interpreto, o que Descartes faz aqui é enfatizar a flexibilidade e variedade, quase infinitas, do colóquio humano. Se dois seres humanos se envolvem durante um longo período numa conversa de mão dupla, interrompendo-a apenas para dormir, seria impossível predizer com certeza que caminhos esse colóquio tomaria, que intercâmbios ocorreriam, que perguntas seriam formuladas, que respostas elas receberiam.

É exatamente essa imprevisibilidade que faz do colóquio humano algo que um mecanismo programado nunca será capaz de copiar. A versão que o século XX dá à afirmação cartesiana de que a matéria não pode pensar é: todo o encanto da tecnologia humana nunca será capaz de transformar a matéria em máquinas verdadeiramente pensantes.

Eu tentei explicar o porquê disso no discurso que aqui coloquei no Apêndice I. Acredito que, nele, consegui demonstrar que as máquinas nunca – nunca em toda a história futura – serão capazes de se envolver em algo parecido com o colóquio humano. Em vez de repetir minhas justificativas aqui, remeto o leitor ao Apêndice I.

Os leitores persuadidos pelo meu raciocínio concordarão que apenas as mentes humanas – intelectos capazes de pensamentos conceituais – podem se envolver em colóquios. A conversa de mão dupla que pode culminar na convergência das mentes continua sendo uma irrefutável evidência de que o homem é radicalmente diferente dos animais selvagens e das máquinas de inteligência artificial.

2

A comunhão que pode ser alcançada pelo colóquio humano é de grande importância para nossa vida privada. Ela une os membros de uma família – maridos e mulheres, pais e filhos. Ela é o paralelo espiritual da união física pela qual os amantes tentam se tornar apenas um.

Observem, por favor, que eu não disse "a comunhão *alcançada* pelo colóquio humano". Às vezes – na verdade, com muita frequência –, os seres humanos não a alcançam porque falham como falantes e ouvintes nas conversas de mão dupla, em especial nos colóquios francos.

Quando o marido e a mulher falham nisso, o laço sexual que os une e que não vem acompanhado da comunhão espiritual geralmente é incapaz de preservar o casamento. O divórcio muitas vezes se origina tanto na falha da comunicação íntima de suas conversas francas quanto no enfraquecimento da atração sexual.

Praticar a primeira relação sem o outro tipo de intercâmbio entre os esposos não é algo completamente humano. Da mesma forma, não basta que eles conversem intimamente sobre questões pessoais e emocionais. Um casamento que não é animado por longas conversas sobre diversos assuntos, a partir dos quais as mentes convergem acordos ou desacordos mútuos, possui vácuos ou buracos que precisam ser preenchidos, a fim de que o casamento ganhe vitalidade.

Podemos dizer algo parecido sobre a relação entre pais e filhos. O chamado conflito de gerações é apenas um vácuo ou buraco criado pela falha na comunicação entre os jovens, especialmente os adolescentes, e seus pais. O sinal mais claro de que foi superada a barreira erguida pelos adolescentes é o fato de eles conseguirem voltar a falar livre e francamente com seus responsáveis. Essa comunhão volta a reuni-los após a separação imposta pela adolescência. Quando isso não acontece, um afastamento permanente prevalece.

A desunião ou divisão familiar, ocorrida tanto por causa do divórcio entre marido e mulher quanto pelo afastamento de pais e filhos, mostra que, se um dia de fato existiu, o colóquio passou por uma deterioração.

Fora dos laços familiares, amigos e namorados se defrontam com as mesmas alternativas. Sua amizade ou seu amor só perdura como legítima comunhão se ambos forem capazes – e também persistentes – de travar colóquios proveitosos e agradáveis uns com os outros.

Aristóteles definia a forma mais sublime de amizade como aquela que envolve a comunhão de duas pessoas de natureza semelhante, com virtudes morais afins. Eu acrescentaria que ela também envolve uma comunhão intelectual obtida através do colóquio que alcança a convergência das mentes.

Por mais eficaz que possa ser o colóquio humano quando se almeja a comunhão de corações e mentes, ele nunca pode ser perfeito a ponto de superar completamente a solidão individual. De alguma forma, todos nós estamos confinados na solidão de nossa mente e de nosso coração. Sempre há pensamentos e emoções que não conseguimos partilhar inteiramente com os outros.

Talvez jamais nos fechemos para os outros como fazem as outras espécies, mas também nunca superaremos por completo os obstáculos à comunhão. Nós nunca alcançaremos, em nossa vida terrestre, aquela perfeição comunitária que os teólogos atribuem à comunhão dos santos e à companhia dos anjos no Paraíso.

3

Deixando nossa vida pessoal e voltando-nos a nossas atividades comerciais e políticas, fica muito clara a contribuição oferecida por um bom colóquio em ambos os contextos.

Poucas empresas comerciais são conduzidas sem reuniões longas e frequentes, às vezes numa extensão e numa frequência equivalentes à perda de tempo e energia que demonstram quando medidas a partir dos benefícios proporcionados.

Suas pautas muitas vezes são organizadas de maneira medíocre. O debate frequentemente foge do ponto discutido. Os intercâmbios costumam revelar uma desatenção e uma incapacidade de escutar bem que produzem respostas irrelevantes ao que os outros disseram, e isso que foi dito muitas vezes é expresso de maneira tão pobre que não suscita ou merece uma escuta atenciosa. Muito frequentemente, o debate não consegue migrar de um ponto para outro, sendo impossível progredir rumo à resolução almejada.

Quando uma reunião de negócios é realizada porque outra não conseguiu alcançar a convergência das mentes (isto é, nenhum acordo ou desacordo justificado quanto à solução de um problema prático que deveria originar uma atitude decisiva), a reunião subsequente muito raramente tem início com um resumo adequado do que já foi dito. Ela em geral consiste numa conversa repetitiva, e não numa conversa que parte de algo já tratado.

Permitam-me contar uma história autobiográfica que ilustra como é importante aprimorar as reuniões de negócios. No final da década de 1930, quando me sentia desapontado pelos obstáculos impostos às reformas que Hutchins e eu defendíamos na Universidade de Chicago, eu cogitei deixar a universidade e aceitar um emprego em Nova York, na R. H. Macy and Company.

Um salário seis vezes maior do que o salário que eu recebia como professor me foi oferecido. Ao perguntar a Percy Strauss, presidente do conselho administrativo da empresa, que título meu cargo receberia, descobri que eu seria o vice-presidente encarregado pelo departamento X. Quando, em seguida, quis saber quais seriam as minhas tarefas, ele me respondeu que eu deveria pensar em todos os aspectos comerciais da R. H. Macy.

Aquilo me pareceu um pouco vago, então eu pressionei o sr. Strauss em busca de uma resposta mais concreta. Em vez de me fornecê-la, ele me perguntou o que eu poderia fazer pela empresa que fosse digno do salário oferecido.

Eu lhe disse que, antes de mais nada, me esforçaria para conduzir as reuniões da Macy de forma a torná-las tão eficazes que sua frequência seria reduzida. Assim, seria reduzido também o tempo que os executivos do alto escalão passavam longe de suas mesas e dos trabalhos importantes realizados em seus escritórios particulares, tudo para que pudessem ir para uma sala e se reunir ao redor de uma mesa.

Depois de calcular rapidamente o salário anual de seus executivos mais importantes e de perceber quanta economia e eficiência resultariam da redução das reuniões – o que também as levaria a obter resultados melhores –, o presidente da Macy não hesitou em dizer que, se eu conseguisse realizar o que prometia, estaria fazendo mais do que o suficiente para honrar o meu salário. (Eu não aceitei o emprego por motivos que, aqui, não têm qualquer relevância.)

Tudo o que eu afirmei acerca das reuniões de negócios se aplica igualmente às reuniões do corpo docente de nossas faculdades e universidades; às reuniões dos médicos de um hospital que precisam definir algumas diretrizes; e àquelas reuniões em que diretores de instituições e de outras organizações sem fins lucrativos se juntam para resolver problemas de ordem prática e para alcançar decisões que afetam ações futuras.

4

O debate público de questões públicas, seja ele realizado pelo povo em geral, seja ele realizado pelos funcionários do governo ou por candidatos a esses cargos, constitui a alma da República.

Uma República em que não é discutida a *res publica* – aquelas coisas do povo a que nos referimos quando falamos sobre a administração pública – parece mais com uma caricatura de sua verdadeira natureza, tal como seria uma organização militar em que não existissem armamentos e não fossem elaboradas estratégias ou táticas para o uso de armas.

Pouco importa se a República envolve a participação direta de todos os seus cidadãos ou se ela é uma forma de governo representativo em que participam tanto o povo quanto os funcionários que foram eleitos ou designados. As ágoras e os fóruns das repúblicas gregas e romanas da Antiguidade dão testemunho do papel desempenhado pela discussão pública na vida do povo.

O SPQR (*Senatus Populusque Romanus*: O Senado e o Povo Romano), que simbolizava a República de Roma quando de seu período de prosperidade, indicava também a participação tanto dos patrícios quanto dos plebeus, dos senadores e da população, no governo. Eles sempre estavam envolvidos na discussão pública dos assuntos públicos.

Quando o governo imperial e despótico de César tomou o lugar do governo republicano, os debates se encerraram. O povo passou a se reunir apenas no anfiteatro ou no circo. Eles se cercavam de passatempos mais ou menos brutais, mas certamente não discutiam temas de interesse geral. Os senadores se retiravam para suas casas e tentavam não levantar nenhuma suspeita de que tinham algo a dizer sobre a administração pública. A República morreu quando a discussão teve fim, e assim os Césares, junto com sua guarda pretoriana, tomaram as rédeas do governo.

Em vez das ágoras e fóruns da Antiguidade, as repúblicas modernas, cuja maioria assume a forma de governo representativo, ostentam parlamentos, congressos, dietas ou assembleias legislativas que levam outro nome. De todos os termos, "parlamento" é o mais notório porque sua etimologia indica que essa forma de administração envolve aquele tipo de discurso ou conversa relacionado à *res publica*.

Defendendo o direito que as pessoas têm de se reunir e protegendo sua liberdade de expressão, as emendas constitucionais de nossa própria república funcionam ainda como outro indicador da importância do debate público irrestrito.

A execução dessas cláusulas constitucionais pode fazer com que a discussão popular de questões públicas se dê sem impedimentos, mas não garante, e nem pode garantir, que o debate realizado será o melhor possível, tanto nas ocasiões em que os interlocutores são os representantes do povo no Congresso quanto nas ocasiões em que eles são o próprio povo, reunido para discutir temas políticos. Não há sanção ou ação governamental que garanta isso. A melhoria da discussão pública e do debate político só pode ser alcançada com a melhoria da educação que o povo, como um todo, recebe.

Esse aperfeiçoamento deve incluir, sobretudo, o aprimoramento da habilidade que o povo tem de falar e ouvir, a fim de que ele o faça bem o suficiente para travar conversas de mão dupla com eficácia. Tal melhoria também deve incluir a ampliação do entendimento popular de princípios e ideias políticas básicas, subjacentes à estrutura de nosso governo.

Antes do sufrágio universal e da existência de repúblicas democráticas, pode ter soado conveniente restringir uma educação assim aos poucos que eram considerados cidadãos. Porém, agora que "nós, o povo", significa "nós, toda a população adulta e lúcida", essa formação indispensável precisa ser oferecida igualmente a todos. Ela precisa ser tão universal quanto o sufrágio.

O volume introdutório que Robert Hutchins escreveu para a série *Great Books of the Western World*, publicada há muitos anos pela Encyclopædia Britannica, tinha como título *The Great Conversation* [O Grande Colóquio]. Ele se refere àquele colóquio longo e contínuo travado, acerca de temas comuns, pelos autores dos clássicos que constituem a tradição ocidental ou, pelo menos, a sua estrutura básica.

Ao elaborar o *Syntopicon*, que também fora incluído na série, eu tentei documentar, sob quase três mil tópicos, o que Robert Hutchins concebera como o grande colóquio, indicando as passagens de todos – ou quase todos – os autores que discutiam este ou aquele tema.

No parágrafo que dá início a *The Great Conversation*, Hutchins não apenas declarou que é no grande colóquio que a tradição do Ocidente está incorporada de maneira mais impressionante; ele também afirmou que a civilização ocidental, e apenas ela, é a civilização do diálogo. Não posso me abster de citar todo esse parágrafo.

> A tradição do Ocidente está encarnada no Grande Colóquio iniciado com o despontar da história e até hoje praticado. Independentemente do mérito das outras civilizações em outros aspectos, nenhuma civilização se assemelha à ocidental nessa esfera. Nenhuma outra civilização pode afirmar que um diálogo como esse é sua característica distintiva. A julgar pelo número de grandes obras do intelecto, nenhum diálogo, em nenhuma outra civilização, se compara ao do Ocidente. A sociedade ocidental avança no objetivo de se tornar a Civilização do Diálogo. O espírito da civilização ocidental é o espírito da investigação. Seu elemento dominante é o *Logos*. Nada deve ficar de fora do debate. Todos devem falar abertamente. Nenhuma proposição deve ficar sem exame. A troca de ideias é vista como o caminho que leva à realização das potencialidades da raça.

A redação de diálogos para a exposição de pensamentos filosóficos, os quais nada mais são do que reflexões sobre as ideias mais fundamentais, começa com os gregos, prossegue com os romanos, tem sua forma um pouco modificada nas disputas orais dadas nas universidades da Idade Média – e que Tomás de Aquino, por exemplo, registrou extensivamente por escrito – e, no período moderno, persevera nos diálogos escritos do bispo Berkeley, de David Hume e de outros.

Em seu ensaio "Da Liberdade Civil", Hume reconhece a centralidade do colóquio na vida e nas sociedades humanas, elogiando os franceses por terem, nesse aspecto, aprimorado os gregos: "Em um aspecto os franceses sobrepujaram até os gregos. Eles aperfeiçoaram a mais útil e agradável de todas as artes, a *art de vivre*, a arte da sociedade e do colóquio".

Com todo respeito aos franceses, o colóquio floresceu na Inglaterra do século XVIII e nas colônias norte-americanas, simultaneamente. Sem ele, essa República talvez nunca viesse a existir. O colóquio só começou a definhar e a desaparecer mais para o fim do século XIX, tendência que alcançou seu nadir em nosso tempo. Esse declínio corre paralelamente ao declínio da educação pública, à medida que a população de nossas escolas crescia de poucos a muitos e, então, de muitos a todas as crianças que se tornariam futuros cidadãos de nossa terra.

5

Por fim, troquemos a política local e nacional pelo cenário internacional. Nele, a importância do colóquio atinge seu ponto máximo. As guerras entre as nações começam quando os colóquios diplomáticos fracassam. Elas são pressagiadas por notícias que, em linhas gerais, afirmam que "os diálogos estão deteriorando" ou que eles "sucumbiram". Então, se o conflito entre os países for suficientemente sério, nada mais lhes restará além de lutar para garantir seus interesses nacionais.

Essa afirmação foi feita de maneira mais eloquente por Cícero, no primeiro século de nossa era. Ele escreveu: "Duas são as formas de se resolver questões em disputa: a primeira, pela discussão; a outra, pela força. Sendo aquela característica dos homens e a segunda, dos animais, devemos recorrer à segunda apenas se a primeira fracassar".

Esse mesmo vislumbre fundamental foi expresso séculos depois, e em palavras um pouco diferentes, por um italiano e um inglês, Maquiavel e John Locke.

Escreveu Maquiavel: "(...) há dois métodos de briga, um que se dá através da lei, outro que se dá através da força: o primeiro método é aquele dos homens; o segundo, das bestas. Porém, como muitas vezes o primeiro é insuficiente, torna-se necessário recorrer ao segundo".

A declaração que Locke formula sobre esses mesmos pontos chega até nós da seguinte maneira: "São duas as formas de disputa entre os homens: a primeira, gerenciada pela lei; a outra, pela força. Por sua natureza, onde uma termina, a outra sempre começa".

Lutar ou resolver disputas através da lei, segundo formulam Maquiavel e Locke, se resume àquilo que Cícero tinha em mente quando escreveu ser a discussão, e não a força, a primeira forma de resolver controvérsias. Qualquer decisão legal acerca de disputas ou conflitos de interesses envolve o debate. Se a decisão alcançada possuir respaldo jurídico, esse respaldo representa aquele monopólio da força legal que apenas um governo devidamente constituído possui. Todas as outras forças, não autorizadas, constituem violência. Seu uso é a violência criminal, o terrorismo ou a guerra.

A guerra nada mais é do que o campo da força. O que chamamos de "guerra fria" não consiste no uso da força ou de medidas violentas. Mesmo sem a existência de combates, temos ainda um estado de guerra, e não de paz, pois essa é uma situação em que os conflitos ou disputas não podem ser inteiramente resolvidos através de discussões ou de decisões legais, capazes de serem realizadas por uma força legalizada.

Portanto, a legítima paz civil – não a guerra fria, que nada mais é do que a ausência de um verdadeiro combate – existirá sempre que houver um mecanismo capaz de resolver todas as disputas ou conflitos através da discussão e da legislação, garantindo o seu cumprimento.

O governo civil fornece os instrumentos necessários para a manutenção do colóquio ou da discussão como forma de resolver as disputas. Quando o aparato governamental funciona como deveria, ele não permite que o colóquio se deteriore a ponto de os indivíduos ou nações precisarem recorrer ao uso da força, que é o método dos animais que vivem na selva, não dos homens que habitam uma sociedade civilizada.

Encarando dessa forma a guerra e a paz, devemos assimilar que a paz civil mundial exige um governo civil mundial e vigilante, exatamente como cada unidade local de paz civil necessita de um governo civil local e também vigilante.

Tenho plena consciência de que, para a maioria das pessoas, essa lição será vista como uma fantasia fadada ao fracasso ou como algo impraticável. Sua reação imediata será dizer que um governo civil mundial, com uma estrutura federativa semelhante à do governo nacional dos Estados Unidos, é um sonho utópico e irrealizável. Se essas pessoas forem inveteradas em seu tacanho nacionalismo, elas provavelmente irão mais longe e dirão que essa lição não é bem-vinda porque exige a renúncia à soberania nacional.

A isso, respondo que um governo mundial não é apenas desejável para que tenhamos paz no mundo, sem a qual a raça humana pode não sobreviver neste planeta; ele também é necessário e possível. Ele é tão possível quanto a formação da República Federativa dos Estados Unidos a partir da soberania das treze colônias norte-americanas, conquistada após terem alcançado sua independência e enfrentado sérios desacordos durante o período em que coexistiram tepidamente sob os Artigos da Confederação, que as atava com a mesma debilidade que une hoje as Nações Unidas.

No primeiro dos nove artigos de *O Federalista*, escrito por Hamilton, Madison e Jay para que uma Constituição dos Estados Unidos substituísse os Artigos da Confederação, o argumento que defendia uma união federativa – uma união mais perfeita, como declara o preâmbulo da Constituição – foi direto ao ponto.

Os autores afirmam que, sob os Artigos da Confederação, os Estados do Novo Mundo que tinham conquistado a independência muito provavelmente guerreariam uns contra os outros, e isso pelos mesmos motivos que levavam as nações do Velho Mundo a guerrear entre si. Se estivessem vivos hoje, eles diriam algo parecido sobre a Carta das Nações Unidas, afirmando que ela é tão ineficaz para a prevenção de guerras quanto os Artigos da Confederação.

Preciso acrescentar apenas mais uma coisa. Em 1946, após o lançamento das primeiras bombas atômicas, elaboradas a partir de uma fissão nuclear inicialmente produzida na Universidade de Chicago, o presidente da instituição, Robert Hutchins, criou um comitê que visava formular uma constituição mundial. Após dois anos de reflexões e discussões, o grupo elaborou um documento que veio a ser publicado pela Universidade de Chicago sob o título *Preliminary Draft of a World Constitution* [Esboço Preliminar de uma Constituição Mundial].

Na minha opinião, esse documento nos leva a considerar um governo mundial não apenas necessário à paz do planeta, mas também algo bastante possível. A única questão que permanece em aberto é a probabilidade de ele vir a existir antes que seja tarde demais para impedir uma guerra que destrua este planeta ou que impeça a existência de vida civilizada sobre ele.

6

Para terminar, permitam-me chamar a atenção de vocês para o papel que o colóquio desempenha na vida pessoal de todos aqueles que possuem tempo livre o suficiente para realizar atividades de lazer – não as ocupações lúdicas que resultam na recreação ou no relaxamento, mas aquelas que contribuem para o aprendizado e para o crescimento mental, moral e espiritual do indivíduo.

As atividades de lazer podem ser atividades realizadas em completa solidão, como a leitura, a escrita e todo tipo de produções artísticas em que os envolvidos trabalham a sós. Da mesma forma, elas podem ser atividades realizadas ao lado de outras pessoas, como o colóquio ou as conversas de mão dupla. Quando qualquer tipo de trabalho intelectual, seja ele acadêmico, artístico ou científico, é realizado com a cooperação de uma série de pessoas, ele também envolverá o colóquio ou o debate.

A realização de atividades de lazer na idade adulta é absolutamente indispensável para a conclusão do processo educacional a que a vida escolar mal dá início, mas para o qual deve preparar. Sem um aprendizado contínuo durante todos os anos da maturidade, ninguém pode se tornar uma pessoa verdadeiramente qualificada, independentemente da qualidade de sua formação.

Quais são as formas mais importantes e universais que esse aprendizado contínuo deve tomar? Minha resposta tem três partes.

Uma das formas de aprendizado consiste nas descobertas sobre a vida e a sociedade que as pessoas realizam ao longo de sua experiência. A segunda consiste no conhecimento crescente e na compreensão dilatada que derivam da leitura de livros que podem fornecer tais bens. A terceira consiste nas recompensas obtidas pelas pessoas quando elas se envolvem em colóquios proveitosos e agradáveis sobre as descobertas de uma viagem, sobre obras lidas, sobre conhecimentos adquiridos e sobre coisas que foram assimiladas.

Sem a terceira, as duas primeiras formas não conseguem dar o fim almejado ao processo de aprendizagem contínua que se dá na vida adulta. Consumar esse processo é tornar-se um ser humano qualificado. É por isso que aprender como falar e como ouvir bem é tão importante para todos nós.

Apêndices

APÊNDICE I

Oração em Memória de Harvey Cushing, proferida na reunião anual da Associação Norte-Americana de Cirurgiões Neurológicos em abril de 1982

INTRODUÇÃO

1. Sinto-me muito honrado por ter sido convidado a proferir o Discurso – ou Oração, como os senhores dizem – em Memória de Harvey Cushing. Espero que o que aqui se dê seja um discurso; não acredito que teremos uma oração.

2. Mais do que honrado, sinto-me ligeiramente intimidado, pois venho da maleável ciência da psicologia e da disciplina, mais maleável ainda, da filosofia, e também por estar diante dos senhores, proeminentes representantes de uma ciência cujo âmago é completamente exato.

    a. Ao ser procurado pelo doutor Kemp Clark, hesitei em aceitar o convite. Não sei se fiquei assustado com a eloquência que se espera do orador ou se foi a eminência de Harvey Cushing o que me deixou hesitante.

    b. O que me fez superar esses dois receios foram as várias lembranças que logo inundaram a minha mente – não apenas as recordações de minha grande estima pelo doutor Cushing, mas também a lembrança do quão antiga é minha relação com o estudo da neurofisiologia e do quão enraizada ela está em meus interesses intelectuais.

    c. Numa das primeiras conversas que tive com o doutor Clark ao telefone, declarei que, no início da década de 1920, quando trabalhava como jovem professor de Psicologia na Universidade de

Columbia, eu fui até a Faculdade de Medicina e Cirurgia – então localizada na 59th Street, próxima à 10th Avenue – a fim de fazer um curso sobre neuroanatomia com os professores Tilney e Elwyn.

(1) O professor Elwyn era o anatomista que ministrava a maioria das lições e que supervisionava a análise microscópica das lâminas que continham cortes espinhais.

(2) O doutor Tilney era um dos grandes neurologistas de seu tempo. Recordo-me vividamente de quando ele chegou, em trajes de festa, à sala de conferências, no intuito de falar sobre a diagnose de sua patologia cerebral e sobre os procedimentos cirúrgicos envolvidos em sua terapia.

3. Como aluno e professor de Psicologia, não havia como eu não me interessar no funcionamento do cérebro e do sistema nervoso central.

   a. Os primeiros capítulos de *Principles of Psychology* [Princípios de Psicologia], escrito em dois volumes por William James, mostravam-se repletos de especulações sobre a relação entre a mente e o cérebro, tal como acontecia no *Elements of Physiological Psychology* [Elementos da Psicologia Fisiológica], de Ladd e Woodworth. Lendo ambos os títulos hoje, os senhores ficariam altamente impressionados com o nível de ignorância que se passava por conhecimento científico.

   b. Nos últimos anos, minha leitura na área englobou vários livros com uma abordagem mais recente. Permitam-me que eu mencione alguns, apenas de passagem.

   Integrative Action of the Nervous System, de C. S. Sherrington
   The Brains of Rats and Men, de C. Judson Herrick
   The Neurophysiological Basis of Mind, de J. C. Eccles
   Brain and Intelligence, de Ward Halstead
   Embodiments of Mind, de Warren McCulloch
   Brain Mechanisms and Intelligence, de K. S. Lashley
   "The Physiological Basis of the Mind", ensaio de Wilder Penfield publicado em *Control of the Mind*

c. Ainda mais recentemente, a ascensão das pesquisas experimentais e os avanços tecnológicos no campo da inteligência artificial instigaram meu interesse pelos fundamentos físicos da mente, e assim recorri a trabalhos como:

The Computer and the Brain, de John von Neumann
Minds and Machines, coletânea de artigos organizada por A. R. Anderson
"Computing Machinery and Intelligence", ensaio de A. M. Turing
Programs of the Brain, de J. Z. Young
Brainstorms, obra recentíssima de Daniel C. Dennett

d. Por favor, perdoem-me pelo que talvez soe como uma pretensa erudição num campo em que todos os senhores são especialistas. Menciono minhas incursões pela literatura da neurofisiologia e da inteligência artificial no intuito de amainar a suspeita que poderá surgir quando eu passar a lidar de maneira filosófica, e até mesmo metafísica, com o problema da relação entre a mente e o cérebro.

(1) Os senhores talvez suspeitem de que minhas especulações filosóficas reflitam teorias antigas e veneráveis, insustentáveis após as descobertas mais avançadas da pesquisa científica.

(2) Os senhores podem suspeitar até mesmo de que, falando-lhes como filósofo, eu possa justificar minha atitude através da indiferente ignorância que demonstro diante dos conhecimentos científicos mais relevantes.

(3) Eu gostaria de lhes garantir que nenhuma dessas suspeitas tem fundamento. Posso não ser tão informado como deveria acerca dos avanços mais recentes na área da neurofisiologia, mas espero que os senhores descubram que minha análise filosófica da mente e do cérebro não contraria os fatos que devem ser levados em consideração.

4. As duas perguntas principais que gostaria de examinar com os senhores podem ser formuladas da seguinte forma:

a. Nosso conhecimento sobre o cérebro e sobre o sistema nervoso, tanto o central quanto o autônomo, será suficiente – seja agora, seja no futuro – para explicar todos os aspectos do comportamento animal?

b. Supondo que a resposta a essa pergunta seja afirmativa, a segunda questão é: significaria isso que também poderemos explicar o comportamento humano, em especial o seu pensamento, em função do que sabemos ou do que saberemos sobre o cérebro do homem e sobre o seu sistema nervoso?

c. Tenho certeza de que os senhores logo perceberão que a resposta à segunda pergunta, à luz de uma resposta afirmativa à primeira, depende de uma questão básica, a saber: se a diferença entre os seres humanos e os animais irracionais é uma diferença de tipo ou de grau.

5. A fim de investigar e ponderar as respostas a essas duas perguntas, proponho os seguintes passos:

a. Primeiro, explicar brevemente como se distinguem a diferença de tipo e a diferença de grau, em especial as duas formas assumidas pela diferença de tipo: a radical e a superficial.

b. Em seguida, exemplificar uma diferença radical de tipo, comparando os homens aos anjos e eliminando aquilo que, segundo espero que os senhores também reconheçam, é uma visão equivocada da relação entre a mente e o cérebro.

c. Em terceiro lugar, comparar os homens aos animais selvagens e às máquinas que são desenvolvidas para incorporar a inteligência artificial.

d. E, por fim, propor o que julgo ser a visão correta da relação entre a mente e o cérebro humanos – quer dizer, correta até que seja refutada por pesquisas experimentais futuras na área da neurofisiologia e da inteligência artificial.

DIFERENÇAS DE TIPO E DE GRAU

1. Uma diferença de grau existe quando uma coisa tem algo a mais do que outra em determinado aspecto.

    a. Dessa forma, por exemplo, duas linhas de tamanhos diferentes diferem apenas em grau.

    b. De maneira semelhante, dois cérebros com pesos ou complexidades distintos apresentam somente uma diferença de grau.

2. Uma diferença de tipo existe quando uma coisa possui uma propriedade ou um atributo que a outra não possui em nenhuma medida.

    a. Dessa forma, um retângulo e um círculo diferem em tipo porque o primeiro apresenta ângulos internos e o outro, não.

    b. Assim, também, um organismo vertebrado dotado de cérebro e de um sistema nervoso central difere em tipo dos organismos que não têm nenhum desses instrumentos.

3. Uma diferença de tipo será superficial se estiver baseada numa diferença de grau subjacente, pela qual pode ser explicada.

    a. Desse modo, por exemplo, a aparente diferença de tipo entre a água e o gelo (é possível caminhar sobre um, e não sobre a outra) pode ser explicada em função da velocidade em que suas moléculas constituintes se movimentam, o que é uma diferença de grau subjacente.

    b. De maneira semelhante, a aparente diferença de tipo entre os homens e os outros animais (entre as coisas que os homens podem fazer e os outros animais, não) pode ser explicada em função do grau de complexidade de seus cérebros. Sendo assim, a aparente diferença de tipo é também superficial.

4. Uma diferença de tipo será radical se não puder ser explicada em função de qualquer diferença implícita de grau, mas apenas pela presença de um fator que existe em um dos lados e não existe em outro.

    a. Pensem na diferença entre as plantas e os animais mais desenvolvidos. Essa parece ser uma diferença de tipo, pois os animais desempenham operações totalmente inexistentes nas plantas.

    b. Se essa diferença de tipo só puder ser explicada em função da presença de cérebros e de sistemas nervosos nos animais, os quais não existem nas plantas, essa diferença de tipo será radical, e não superficial.

OS ANJOS E OS SERES HUMANOS

1. Permitam-me dizer de início que, para mim, os senhores deveriam pensar nos anjos apenas como seres possíveis, como entidades puramente hipotéticas. Não nos importa, aqui, se em alguma medida é verdadeira a crença religiosa em sua existência.

    a. Como seres possíveis, os anjos são puramente espirituais. Nosso interesse neles encontra-se no fato de que eles são concebidos como mentes *sem* corpos.

        (1) Sendo mentes sem corpos, os anjos sabem, desejam e amam, mas não como nós.

        (2) A ausência de corpos nos anjos nos traz uma série de consequências impressionantes.

            (a) Eles não aprendem a partir da experiência.

            (b) Eles não pensam discursivamente, pois não possuem imaginação ou lembranças.

            (c) Seu conhecimento, que é intuitivo, deriva de ideias inatas que foram implantadas neles no momento de sua criação.

            (d) Eles falam uns com os outros por telepatia, sem o uso de qualquer meio de comunicação.

            (e) Suas mentes, infalíveis, nunca pegam no sono.

b. Em todos esses aspectos, as mentes sem corpos se mostram diferentes da mente humana, e isso exatamente porque esta última está associada a um corpo, dependendo dele para desempenhar *algumas* ou *todas* as suas funções.

2. Os senhores poderiam questionar a possibilidade de os anjos existirem — essas mentes sem corpos, sem cérebros. Nesse caso, permitam-me defender a possibilidade de sua existência contra os materialistas que se acham capazes de negá-la. Faço isso porque, como os senhores verão, o erro dos materialistas trará consequências críticas para o tratamento que dou ao problema das mentes e dos cérebros.

    a. O raciocínio dos materialistas se dá desta forma.

        (1) Eles afirmam que nada existe na realidade senão o que é corpóreo, de partículas elementares aos organismos mais complexos, dos átomos às estrelas e galáxias.

        (2) No entanto, é dito que os anjos são seres incorpóreos.

        (3) Portanto, concluem eles, não há como existirem anjos, sendo eles tão inconcebíveis e impossíveis quanto quadrados redondos.

    b. Esse raciocínio é débil em um de seus aspectos e falho em outro.

        (1) Sua premissa inicial (a de que não existe nada que não seja corpóreo) é uma suposição que não foi provada e que não é provável. Ela pode ser verdade, mas não temos como asseverá-la, seja com certeza, seja para além da dúvida moderada. Essa premissa é uma questão de fé tanto quanto a crença religiosa na realidade dos anjos.

        (2) Ainda que conseguíssemos asseverar a verdade dessa premissa inicial, esse raciocínio é falho, pois a conclusão não procede.

            (a) Se a premissa adotada fosse verdadeira, a conclusão válida seria a de que os anjos – seres incorpóreos – *não* existem na realidade.

(b) Porém, a conclusão de que os anjos *não podem* existir – de que eles têm uma existência impossível – não procede de forma alguma.

c. Há muitos argumentos positivos para defender a conceptibilidade e a possibilidade dos anjos, mas não vou me demorar apresentando-os. Para nosso objetivo aqui, basta-nos reconhecer que os expoentes do materialismo não podem negar de maneira válida a possibilidade dos anjos.

d. Sendo assim, tampouco podem negar que a mente humana seja algo espiritual – um fator imaterial – associado ao cérebro como fator corpóreo, e sejam ambos necessários para explicar o pensamento humano.

3. Isso nos leva a uma visão no extremo oposto do materialismo, uma visão que olha para a mente humana como uma substância imaterial, como um poder imaterial, que não precisa de um cérebro para sua atividade singular, que é o pensamento racional.

a. Esta é a visão assumida por Platão, na Antiguidade, e por Descartes, no início dos tempos modernos.

b. Ela cai no que chamei de falácia angélica, pois vê a alma racional ou o intelecto humano como um anjo encarnado, uma mente que, nos homens, pode ser associada a um corpo, mas que não depende ou precisa dele para realizar suas operações intelectuais.

c. À luz de tudo o que os senhores sabem acerca da relação de dependência entre as operações mentais do homem e as funções e processos cerebrais, assim como de tudo o que os senhores sabem acerca dos efeitos da patologia cerebral sobre o pensamento humano, não preciso persuadi-los de que essa visão platônica e cartesiana da mente humana como um anjo encarnado contraria evidências já confirmadas, devendo, portanto, ser rejeitada.

d. Desejo apenas acrescentar que, a partir de fundamentos puramente filosóficos, o dualismo entre mente e corpo não se sustenta.

(1) Ele nega a unidade do ser humano, transformando-nos numa dualidade formada por duas substâncias independentes – tão independentes quanto um bote e aquele que o rema. Qualquer um dos dois pode deixar de existir sem que o outro também se extinga. Eles são existencialmente distintos e separáveis, ao contrário do que acontece com nossa mente e nosso cérebro.

(2) Ele nos deixa um mistério inexplicável: por que a mente humana deveria ter qualquer vínculo com um corpo?

SERES HUMANOS, OUTROS ANIMAIS... E MÁQUINAS INTELIGENTES

1. Não há dúvidas de que, em muitos aspectos comportamentais, diferimos dos outros animais apenas em grau.
2. Do mesmo modo, é evidente que o cérebro humano e o cérebro dos mamíferos mais desenvolvidos diferem em grau – em complexidade e na razão entre o peso do cérebro e o peso do corpo.
3. Podemos nos perguntar se diferem em tipo os cérebros dos animais e do homem. Eu gostaria que fossem os senhores a responder essa questão.
    a. Por exemplo, seria puramente humana a assimetria apresentada pelos lobos direito e esquerdo do cérebro?
    b. Sobre a ausência de algo parecido com o centro motor da fala no cérebro dos animais – o que parece estar associado a uma assimetria cortical –, seria ela uma diferença de tipo?
    c. O caráter peculiar do extenso lobo frontal do cérebro humano indicaria ainda outra diferença neurológica de tipo?
4. Quaisquer que sejam as respostas dos senhores, elas devem levar em consideração o que direi agora sobre as diferenças de tipo entre o comportamento dos seres humanos e dos animais selvagens.

a. Estas são as diferenças entre os homens e os animais que julgo serem de tipo, e não de grau. Ainda é preciso verificar se elas são radicais ou superficiais.

   (1) Os animais podem realizar apenas o pensamento perceptivo, enquanto os homens são capazes do pensamento conceitual, completamente inexistente nos animais.

   (a) O discurso conceitual e sintático, composto por um vocabulário que se refere a objetos imperceptíveis e inimagináveis, é um indicador disso, assim como a forma pela qual os homens aprendem a falar. Nenhum dos trabalhos recentes sobre a chamada fala dos chimpanzés e dos golfinhos-nariz-de-garrafa refuta essa afirmação.

   (b) O pensamento perceptivo dos animais que envolve abstrações conceituais e generalizações é incapaz de lidar com qualquer objeto que não seja perceptível ou que não esteja perceptivamente presente.

   (c) O pensamento conceitual humano, ao contrário, lida com objetos que não se encontram perceptivamente presentes e com objetos que são completamente imperceptíveis – como os anjos, por exemplo.

   (2) Essa diferença básica entre o pensamento perceptivo e conceitual, assim como o fato de apenas o homem ser capaz de pensar conceitualmente, explica muitas outras diferenças entre o comportamento humano e o comportamento animal.

   (a) O homem é o único animal que possui uma tradição histórica prolongada e uma continuidade cultural – e não meramente genética – entre as gerações.

   (b) O homem é o único animal que elabora leis e constituições para as associações que forma.

   (c) O homem é o único animal que constrói máquinas e que produz algo a partir delas.

(d) Nada disso, nem outras coisas parecidas, seria possível sem a existência do pensamento e do discurso conceitual.

5. Se estou certo sobre as diferenças de tipo entre o comportamento dos homens e dos animais irracionais, devemos enfrentar a pergunta que ainda permanece: essa diferença de tipo seria superficial ou radical? Ela pode ser explicada em função das diferenças de grau entre os homens e os animais? Caso possa, ela será apenas superficial. Se não, será radical.

   a. Outra condição deve ser satisfeita para que possamos dizer que a diferença é apenas superficial. A própria diferença de grau que apresentam os cérebros humano e animal deve nos fornecer uma explicação adequada para a aparente diferença de tipo entre o comportamento do homem e dos animais.

   b. Permitam-me colocar de lado essa questão por um momento, a fim de examinar, primeiro, a relação entre a mente humana e as máquinas que deveriam encarnar a inteligência artificial e que diferem apenas em grau da inteligência humana.

   c. Faço isso porque minha atitude trará implicações críticas para a questão que ao fim deveremos solucionar.

6. Aqui, o mais importante é indicar que a diferença entre o cérebro humano e os artefatos supostamente dotados de inteligência está no fato de que esses últimos são redes puramente elétricas, enquanto o cérebro do homem é tanto uma fábrica de produtos químicos quanto uma rede de eletricidade. Além disso, a química do cérebro é indispensável para a sua atividade elétrica.

   a. As extraordinárias pesquisas realizadas nos últimos trinta anos mostraram como são importantes, para as operações do cérebro humano, os transmissores e catalisadores químicos.

   b. Até agora, esses transmissores e catalisadores não participam do funcionamento das máquinas de inteligência artificial, embora exista, hoje, algum movimento para a criação dos chamados sistemas computacionais "úmidos".

c. Até que isso seja completamente realizado, existirá uma diferença de tipo entre o cérebro humano e os computadores, a qual não seria suprimida nem se as máquinas fossem construídas com um número de unidades e conexões elétricas superior à undécima potência de dez.

d. Se o sonho dos sistemas operacionais "úmidos" não se concretizar por completo, a neurofisiologia um dia conseguirá explicar o pensamento humano, mas nunca construir uma máquina capaz de pensar como os homens, por mais complexa e eletricamente refinada que fosse.

e. Podemos treinar cães e cavalos para realizar truques complicadíssimos e extraordinários, os quais nada têm a ver com a posse de uma inteligência notável ou fora do comum.

f. Da mesma forma, podemos programar computadores para realizar truques ainda mais complicados e extraordinários, copiando de maneira impressionante o pensamento humano. Porém, isso não significa que esses computadores possuem a força do pensamento do homem.

g. Se a única diferença entre os homens e os animais irracionais fosse a relativa complexidade e o relativo tamanho de seus mecanismos nervosos, auxiliados e instigados pelos produtos da química cerebral, os sistemas operacionais "úmidos" poderiam ser produzidos para que pensassem como os homens. Eles poderiam ter um desempenho melhor se, no futuro, os computadores superassem a composição do cérebro humano — através de uma potência superior à undécima potência de dez — e se algo análogo a todos os agentes químicos do cérebro humano nele operassem.

h. Contudo, se a diferença entre os homens e os animais não se resumir à relação que o peso e a complexidade do cérebro têm com o tamanho e o peso do corpo; se, em vez disso, a diferença entre a capacidade perceptiva dos animais irracionais e a capacidade conceitual dos seres humanos se origina na presença de um fator imaterial apresentado pelo homem — o intelecto, que coopera com o cérebro, mas cujas operações não podem ser reduzidas a processos cerebrais; então, computador algum, por mais abrangente que seja em sua composição e por mais rico em processos químicos que seja o seu circuito elétrico, será capaz de pensar ou de se envolver, como o homem, em reflexões conceituais.

   i. Segundo afirmou Descartes alguns séculos atrás, *a matéria não pode pensar*. O melhor computador possível sempre será, tanto elétrica quanto quimicamente, um objeto material.

   j. É isso que torna tão interessante e significativo o teste proposto por A. M. Turing, que desejava saber se um dia os computadores seriam capazes de pensar como os homens.

   k. Ele é uma resposta ao desafio que Descartes propôs aos materialistas de seu tempo, convidando-os a construir uma máquina capaz de pensar intelectualmente.

7. Até onde sei, o jogo de Turing é o único teste crítico que visou determinar se os computadores podem pensar da mesma forma como pensam os seres humanos. A propósito, A. M. Turing foi o gênio – e, de certa forma, o louco – inglês que quebrou os códigos alemães produzidos pela máquina Enigma.

   a. O teste de Turing se fundamenta no seguinte modelo.

      (1) Um interrogador se posiciona diante de uma tela, atrás da qual encontram-se um homem e uma mulher.

      (2) Fazendo-lhes perguntas e considerando as respostas que são dadas por escrito, o interrogador deve tentar descobrir qual das duas pessoas é o homem e qual é a mulher.

      (3) As pessoas que se encontram atrás da tela devem usar o máximo de sua inteligência para enganar o interrogador. Se fizerem isso, terão sucesso.

      (4) As respostas do interrogador não passarão de adivinhações, das quais metade estará correta e a outra metade, equivocada.

b. Agora, diz Turing, coloque um ser humano e um computador atrás da tela e deixe a máquina receber o que o autor chama de programação inicial ou incipiente.

c. A fim de compreendermos as limitações da programação maquinal, independentemente do quão complexa e abrangente ela possa se tornar, é necessário que diferenciemos dois tipos de habilidades inatas apresentadas tanto pelos mamíferos mais desenvolvidos quanto pelos seres humanos. Ao contrário desses dois, os insetos apresentam um desempenho instintivo que se assemelha ao tipo de habilidade conata que as máquinas adquirem com a programação incipiente.

d. Consideremos, primeiro, os seres humanos e os mamíferos mais desenvolvidos. Ambos possuem dois tipos de habilidades inatas.

   (1) O primeiro tipo é aquele que, para utilizarmos a palavra adotada pela tecnologia computacional, pode ser chamado de "programação".

   (a) A programação consiste na capacidade inerente que determinado animal tem de dar, a estímulos, respostas pré-formadas.

   (b) Os insetos cujo comportamento instintivo ostenta padrões muito complexos apresentam essas habilidades em altíssimo grau.

   (c) Os mamíferos desenvolvidos possuem menos padrões pré-formados de comportamento instintivo do que os insetos.

   (d) Os seres humanos são os que menos apresentam esses padrões: no sentido mais estrito do termo, eles não têm instinto algum. Sua programação inata consiste apenas num número relativamente pequeno de reflexos espinais e cerebroespinais.

   (2) O segundo tipo de capacidade natural consiste nas habilidades ou poderes indeterminados, capazes de serem delimitados pelo aprendizado e pela consolidação de hábitos. Ao nascimento, e antes que a aprendizagem ou o costume determinem algo, as

capacidades inatas se mostram indeterminadas, isto é, elas não tendem a optar por um comportamento real específico.

(a) Como fica claro a partir do adestramento de animais domésticos, os mamíferos mais desenvolvidos nascem dotados de tais habilidades, sendo capazes de aprender e consolidar hábitos.

(b) Os seres humanos trazem essas habilidades inatas em seu mais alto grau: eles são, antes de tudo, animais de aprendizado, cuja conduta adotada após o nascimento resulta sobretudo do desenvolvimento de suas capacidades inerentes, definidas a partir da aprendizagem e da formação de seus hábitos.

(c) Assim, por exemplo, uma criança traz consigo a capacidade de aprender qualquer língua, não possuindo nenhuma tendência natural para falar um idioma em vez de outro. O homem também tem a capacidade inata de pensar tudo o que for pensável.

e. Concentremo-nos, em seguida, nos homens e nas máquinas. Ao contrário dos seres humanos e dos mamíferos mais desenvolvidos, as máquinas de inteligência artificial possuem *apenas um gênero de capacidade conata*, aquele tipo que Turing chamou de programação inicial ou incipiente.

(1) Essa programação produz sempre comportamentos predeterminados, nada mais que isso. O desempenho programado da máquina é exatamente igual ao complexo desempenho instintivo dos insetos ou aos reflexos do homem e dos mamíferos mais desenvolvidos.

(2) Segundo indica Hubert L. Dreyfuss em seu livro *What Computers Can't Do*, o tipo de capacidade inerente que encontramos na programação das máquinas produz desempenhos prescritos e determinados, nunca habilidades inatas que são definidas pelo aprendizado e pela consolidação de hábitos.

(a) No caso dos animais, é através do condicionamento que se dão esse aprendizado e essa consolidação de hábitos.

(b) Nos seres humanos, em alguns casos eles se dão através do condicionamento e, em outros, através do livre-arbítrio.

(3) Citando o professor Dreyfuss, "as capacidades humanas não programáveis estão presentes em todas as formas de comportamento inteligente", e são exatamente essas habilidades não programáveis que as máquinas não conseguem receber.

f. Sendo esse o caso, a programação inicial ou incipiente de uma máquina de inteligência artificial nunca será bem-sucedida no teste de Turing.

(1) Não importa o quão bem, através dessa programação, as máquinas conseguem responder a N questões (em que N é qualquer número finito, por maior que seja); sempre haverá a questão de número N + 1, à qual não haverá nenhuma resposta prévia. Como o homem conseguirá respondê-la, o interrogador será capaz de identificar a máquina que está atrás da tela.

(2) Obviamente, continua sendo possível que um dia as máquinas recebam o segundo tipo de desenvolvimento inato – o das habilidades indeterminadas que podem ser formadas através do aprendizado, da consolidação de hábitos, do condicionamento ou da escolha.

(3) Assim como o professor Dreyfuss, acredito que isso seja altamente improvável. No entanto, essa impossibilidade só poderá ser provada através das tentativas e fracassos dos especialistas em inteligência artificial. Quanto mais eles tentarem e falharem, maior a probabilidade de nunca serem bem-sucedidos.

8. Se por acaso for impossível que as máquinas funcionem como os seres humanos, e é nisso que acredito, teremos justificativas empíricas para concluir que o desempenho distintivo do homem não é explicável apenas em função da capacidade eletroquímica de seu cérebro.

a. Se assim fosse, as máquinas do futuro, que poderão receber mais capacidade eletroquímica do que a existente em nosso cérebro, certamente poderiam superar o homem, e isso de uma forma que seria indistinguível do desempenho humano.

b. A conclusão a que chegamos confirma o julgamento filosófico de Aristóteles e de Tomás de Aquino, que afirmam ser o cérebro *apenas uma condição necessária, e não suficiente,* para o pensamento humano. Somos incapazes de pensar sem nossos cérebros, mas não é com eles que pensamos. Nós pensamos com uma força essencialmente imaterial: a força do intelecto.

c. Se por acaso eu estiver errado – e apenas no futuro poderemos descobrir se estou –, admitirei prontamente que as máquinas podem pensar como os seres humanos e que os processos físicos, sejam eles meramente elétricos ou eletroquímicos, podem nos fornecer explicações adequadas para o pensamento conceitual do homem e para o pensamento perceptivo dos animais.

9. Antes de prosseguir, permitam-me que eu chame a atenção dos senhores para três questões que estão relacionadas a – ou que surgem com – nossa análise do teste de Turing.

    a. A primeira delas é o fato de o filósofo Descartes ter antecipado Turing no século XVII, propondo um teste semelhante no intuito de mostrar que as máquinas – e os animais, considerados por ele máquinas dotadas de sentidos e cérebros, mas carentes de intelecto – são incapazes de pensar. Seu teste se baseava no colóquio. Máquina alguma, disse Descartes, será capaz de se envolver numa conversa como dois seres humanos o fazem, travando uma comunicação infinitamente flexível e com rumos imprevisíveis.

    b. Ainda que, contrariando o prognóstico de Descartes, a máquina de Turing venha a ser construída, permanece claro que nenhum chimpanzé ou golfinho falante, valendo-se de sua língua de sinais, será capaz de se passar pelo ser humano localizado do outro lado da tela.

c. Para definir se a diferença de tipo entre os humanos e os animais irracionais é superficial ou radical, será necessário definir se, para os senhores, a neurofisiologia será um dia capaz de explicar como os seres humanos podem ser bem-sucedidos no teste de Turing.

  (1) Se isso acontecer, tal sucesso será atribuído à força do cérebro humano?

  (2) Ou será necessário outro fator – um fator imaterial, tal como Descartes via o intelecto do homem – para explicá-lo?

AS MENTES E OS CÉREBROS

1. Já nos deparamos com duas visões opostas sobre a relação entre a mente ou intelecto do homem e seu cérebro.

   a. Numa das extremidades, temos o materialista, que nega não apenas a realidade, mas a possibilidade de existirem seres, forças ou operações imateriais.

     (1) Segundo essa perspectiva materialista, a ação e os processos cerebrais fornecem as condições necessárias e suficientes para a realização de todas as operações da mente, incluindo o pensamento conceitual do homem e o pensamento perceptivo dos animais.

     (2) Essa visão foi chamada de hipótese da identidade. A palavra "identidade" indica que a mente e o cérebro seriam existencialmente inseparáveis. A palavra "hipótese" admite que essa é uma suposição que ainda não foi provada – e que, segundo penso, é inverificável.

     (3) A hipótese da identidade assume duas formas, cada uma com um nível de radicalidade diferente.

       (a) A forma mais radical é conhecida como "materialismo reducionista". Ela afirma que não existe sequer uma distinção analítica entre a ação da mente e a ação do cérebro.

(b) A forma menos radical – e que na minha opinião está muito mais de acordo com os fatos indiscutíveis – reconhece que, analiticamente, qualquer descrição dos processos cerebrais será sempre distinta de toda descrição dos processos mentais. Isso se aplica tanto ao pensamento perceptivo dos animais quanto ao pensamento conceitual dos homens. Porém, embora reconheça a diferença analítica entre os processos do cérebro e os processos do pensamento, essa forma mais branda de materialismo continua afirmando que a mente e o cérebro são existencialmente inseparáveis, e por isso a ação cerebral deve ser capaz de explicar todos os atos da mente, sejam eles conceituais ou perceptivos.

(4) Segundo essa hipótese, sustentável em sua forma menos radical, a neurofisiologia deve ser capaz de explicar todos os aspectos da inteligência humana e todos os aspectos da inteligência animal. Nem os recônditos mais profundos do pensamento do homem escapariam de sua capacidade explicativa.

b. No outro extremo, encontram-se os imaterialistas que negam a possibilidade, presente e futura, de os processos cerebrais explicarem o pensamento humano.

(1) De acordo com essa perspectiva, a ação cerebral não é nem uma condição necessária, nem uma condição suficiente para o pensamento.

(2) Essa visão imaterialista assume sua forma mais radical com a filosofia do bispo Berkeley, que negava a existência da matéria mesma e, por isso, via as criaturas como seres puramente espirituais, não menos que os anjos no Paraíso.

(3) A forma mais radical do imaterialismo contraria diretamente os fatos indiscutíveis, assim como acontece com a forma mais radical do materialismo. Dessa forma, devemos rejeitar esses dois extremos sem hesitar.

(4) Como já pudemos observar, a forma menos radical do imaterialismo encontra-se na perspectiva platônica e cartesiana, que via a alma racional ou o intelecto do homem como um anjo encarnado, preso de alguma forma num corpo. Ambos seriam uma substância puramente espiritual, habitando um corpo completamente desnecessário para a realização de sua atividade mais básica, que é o pensamento racional.

(5) Apenas um fato – e um fato negativo é sempre o bastante – torna seriamente duvidosa a perspectiva platônica e cartesiana. Como indiquei, os anjos nunca dormem. Seu intelecto está sempre ativo. Os seres humanos adormecem e despertam. Nosso intelecto às vezes torna-se inativo. Podemos sonhar de tempos em tempos, mas não estamos pensando constantemente. Esse fato não pode ser explicado a partir da perspectiva platônica e cartesiana sobre a relação do intelecto com o corpo e cérebro humanos.

2. No meio dessas duas visões opostas, cada uma com suas diversas variações, encontra-se a única perspectiva que me parece se adequar a todos os fatos que conheço. Ela está de acordo com tudo o que sabemos sobre a natureza do pensamento humano e sobre as limitações da matéria e de suas propriedades físicas.

   a. Essa visão intermediária combina o materialismo moderado com um imaterialismo igualmente moderado.

   b. Seu materialismo moderado consiste na aceitação de dois princípios sustentados pela forma menos radical da hipótese da identidade.

   (1) O primeiro desses princípios é o que afirma que os processos cerebrais e mentais são analiticamente distinguíveis. Descrição alguma do primeiro pode ser substituída por descrições do segundo.

   (2) Essa visão também afirma que os processos cerebrais são uma condição ao menos necessária para a existência de

processos mentais, algo que é negado pelas formas mais extremas do imaterialismo.

c. A visão intermediária que adoto também é materialista ao aceitar que, tanto nos homens quanto nos outros animais, cada aspecto do pensamento perceptivo – todos os atos de percepção sensorial, a imaginação, a memória, assim como as emoções, as paixões e os desejos – pode, ou um dia poderá, ser explicado em termos neurofisiológicos. Não há nada de imaterial ou espiritual nas operações mentais ou comportamentais comuns aos homens e aos outros animais.

d. A parcela imaterialista dessa visão intermediária – parcela de um imaterialismo bastante moderado – pode ser resumida com a afirmação de que o pensamento humano (isto é, o pensamento distintivamente conceitual) não pode, e nunca poderá, ser explicado a partir da ação cerebral. E isso também se dá com a liberdade do arbítrio do homem – aquela liberdade de escolha que é característica da raça humana –, que jamais será explicada a partir de motivações físicas ou do deslocamento de partículas materiais.

(1) Em outras palavras, sem a percepção, a imaginação e a memória, fatores que dizem respeito tanto aos órgãos sensoriais quanto ao cérebro, o pensamento conceitual não pode ser realizado.

(2) O papel que o cérebro desempenha na vida da mente é claramente indicado pelas patologias e deficiências mentais, por todos os tipos de afasia, pela demência senil e assim por diante. Esse papel, porém, é limitado.

e. Talvez seja esta a melhor forma de resumir minha visão intermediária.

(1) Nós vemos com nossos olhos e com o córtex visual do cérebro. Nós ouvimos com nossos ouvidos e com o córtex acústico do cérebro.

(2) Porém, com que órgão nós pensamos? Qual é o órgão de nosso pensamento conceitual? Nossa perspectiva intermediária responde: *não é o cérebro*. Nós não pensamos conceitualmente com o cérebro, ainda que não possamos pensar conceitualmente sem ele.

(3) Resumindo, o cérebro é uma condição necessária, mas não suficiente, para a realização do pensamento conceitual. Nesse ponto crucial, a visão moderada difere da forma menos radical do imaterialismo ou da hipótese da não identidade, que é a perspectiva Descartes e Platão.

(4) Isso significa que, para possibilitar o pensamento conceitual e a livre escolha, um fator ou uma força imaterial – o intelecto e a vontade do homem – coopera com o corpo humano.

(5) Se isso for verdade, e é nisso que acredito, a diferença de tipo existente entre os seres humanos e os outros animais, sem falar nas máquinas, será radical, e não superficial.

(6) Isso também significa que a humanidade se encontra na fronteira entre o mundo das criaturas corporais e o mundo dos seres espirituais, composto pelos anjos e por Deus, sejam estes encarados como meras possibilidades, sejam cridos como verdadeiros.

(7) Porém, ao ocupar essa posição intermediária, a humanidade não se equilibra sobre a linha que divide o que é material do que é espiritual, com um pé em cada mundo, tal como Platão e Descartes nos levariam a crer. A humanidade encontra-se sobretudo no reino das coisas corporais, mas, pela força de seu intelecto imaterial, é capaz de alcançar o reino superior.

REFLEXÕES FINAIS

1. Permitam-me tecer algumas reflexões finais. Só estou relativamente certo acerca de duas coisas.

    a. A primeira é de que não reconhecer o papel indispensável desempenhado pelo cérebro no pensamento humano é uma falácia angélica que deve ser rejeitada.

    b. A outra é de que a negação materialista da possível existência de substâncias espirituais e de forças imateriais, tal como o intelecto humano, também deve ser descartada.

2. Com um pouco menos de certeza, fui convencido por tudo o que sei de que a ação do cérebro em si não é suficiente, e nem pode ser, para explicar o pensamento conceitual, pois o caráter essencial desse tipo de pensamento envolve a transcendência de todas as condições materiais. O fato de a mente humana alcançar objetos do pensamento totalmente imperceptíveis e inimagináveis é o indicador mais claro disso.

3. E para onde isso nos leva? Segundo vejo, somos levados a estas duas conclusões:

    a. Cada um dos aspectos do comportamento, da inteligência e da mentalidade dos animais – todos inferiores ao pensamento conceitual – pode, ou um dia poderá, ser explicado a partir do que conhecemos sobre o cérebro e sobre o sistema nervoso.

    b. Hoje, esse conhecimento pode contribuir – e no futuro contribuirá ainda mais – para o esclarecimento dos atos da mente humana, mas a neurofisiologia talvez nunca seja capaz de encontrar uma explicação completamente satisfatória para o pensamento conceitual e para a liberdade de escolha.

NOTA

Durante o debate que se seguiu à preleção, as perguntas formuladas pelo público me levaram a resumir seus pontos principais em duas proposições hipotéticas.

1. SE o homem é superior aos animais irracionais *apenas porque* possui um cérebro maior e mais complexo, ENTÃO os computadores um dia serão superiores aos homens.

2. SE o homem pode fazer o que os animais irracionais não podem *apenas porque* seu intelecto é imaterial, ENTÃO os computadores nunca serão capazes de fazer aquilo que diferencia, de maneira tão radical, os homens dos outros animais.

Existe um raciocínio metafísico que dá respaldo à condição expressa pela segunda declaração hipotética. Como ele provavelmente não convencerá os materialistas que afirmam a condição expressa pela primeira hipótese, o que está em questão, aqui, pode ser empiricamente testado da seguinte maneira:

Deixem que os tecnólogos da computação tentem construir um computador capaz de travar colóquios como o homem. Toda vez que tentarem e fracassarem, tornar-se-á mais provável que o argumento metafísico que a eles se opõe é legítimo. Se eles forem bem-sucedidos, refutarão o argumento metafísico. O futuro nos dirá quem está certo.

APÊNDICE II

Os doze dias do Seminário Executivo do Aspen Institute

(fala proferida em agosto de 1972 no Aspen Institute for Humanistic Studies)[1]

O objetivo final do Seminário Executivo do Aspen Institute é permitir que seus participantes compreendam melhor a "democracia", o "capitalismo" – as duas características distintivas da sociedade em que vivemos – e os seus opostos: o "totalitarismo" e o "comunismo", tornando-se aptos a encarar de forma inteligente e crítica as polarizações básicas que encontramos no mundo de hoje.

Com essa finalidade, suas leituras giram em torno de quatro ideias fundamentais: as ideias de igualdade, liberdade, justiça e propriedade, indispensáveis para o entendimento da democracia e do capitalismo, assim como de seus opostos e das questões que resultam de tal oposição.

O propósito dos debates é alcançar uma compreensão mais clara dessas quatro ideias em si, da relação que têm umas com as outras e de suas influências sobre questões como a natureza do governo, a relação entre a economia e a democracia política, a livre iniciativa, a descentralização, etc.

Para que esse propósito seja alcançado, as leituras foram organizadas da seguinte forma: com algumas exceções, os livros de cada dia trazem sempre visões conflitantes, de modo que os participantes possam formular os pontos que vinculam os autores e tomar partido diante deles, justificando o próprio posicionamento. Então, seguindo-se às doze sessões, as leituras se abrem em leque e giram em círculos cada vez mais amplos ao redor daquelas mesmas quatro ideias fundamentais, sendo mais abrangentes e permitindo que os participantes

---

[1] Esta preleção foi redigida de maneira esquematizada, tal como a Oração em Memória de Harvey Cushing reproduzida no Apêndice I. Porém, a fim de que fosse publicada pelo Aspen Institute, reformulei-a usando parágrafos em prosa tradicionais.

alcancem níveis mais e mais profundos de compreensão, à medida que cada dia complementa os dias que o precederam.

Aquilo que eu gostaria de fazer nesta preleção, obviamente, é impossível. Valendo-me das notas que, ano após ano, tenho tomado ao fim das discussões de cada dia, eu gostaria de expor a vocês, em ordem, o verdadeiro conteúdo dos doze debates. Faço essa exposição diariamente aos participantes, resumindo a discussão do dia anterior. Levo cerca de vinte minutos para fazê-la. Expor doze relatórios em sequência exigiria mais ou menos três horas e meia. Receio que isso esteja fora de cogitação.

Em vez disso, tentarei colocar em prática uma segunda opção. Ao longo das doze sessões, eu seguirei determinada linha de desenvolvimento assim que ela se abrir. Procedendo dessa maneira, não conseguirei abordar detalhadamente todas as leituras.[2] Espero que vocês se recordem de que, esta noite, o que estou apresentando é apenas uma prova das leituras realizadas no Aspen Institute e do que pode ser assimilado quando elas são debatidas.

Faço apenas mais uma observação antes de começar. Quando falo daquilo que pode ser assimilado, necessariamente me refiro àquilo que eu mesmo aprendi ao participar dos Seminários do Aspen Institute, tanto na posição de leitor quanto na de membro do grupo. Acredito ser possível afirmar, sem medo de parecer demasiadamente presunçoso, que observei outros membros do grupo aprendendo as mesmas coisas que eu, cada um ao seu modo.

---

[2] Na maioria dos casos, as leituras designadas constituem trechos dos livros indicados para cada dia, e não a obra completa.

Os doze dias de seminário no Aspen Institute

PRIMEIRA SEGUNDA-FEIRA

Acordo do Povo, 1647
Declaração da Independência, 1776
Benjamin Franklin, *Sobre o Poder Legislativo*, 1789
Debate na Convenção Constitucional do Estado de Nova York, 1821

Nossa era não tem início em 1776, com a Declaração da Independência, mas mais de um século antes, com o debate, ocorrido no interior do exército de Cromwell, entre os *levellers* – expoentes da igualdade política – e os homens de posse, como o próprio lorde Cromwell e seu genro, o coronel Ireton.

A questão debatida nunca havia sido levantada antes: quem de fato é o povo? Quando dizemos "Nós, o povo", "Todo o povo" ou "Poder para o povo", a quem nos referimos? A questão, formulada de maneira mais precisa, era esta: deve ser estabelecido algum requisito material considerável para o sufrágio, restringindo o exercício da cidadania a homens de posse? Ou todos devem ter voz nos assuntos do país, sendo politicamente iguais ainda que sua quantidade de bens os tornem economicamente diferentes?

Valendo-nos dos termos do pensamento e da prática política grega, podemos dizer que o problema se resume a um conflito entre os oligarcas, que desejam restringir a cidadania à classe que detém propriedades, e os democratas, que querem estendê-la também aos que não têm posses. Porém, embora possamos encontrar esse conflito nas cidades-estados da Grécia, na Antiguidade ele nunca passou de uma questão que colocava uma minoria contra uma maioria. Os princípios formulados pelos *levellers* do exército de Cromwell, por sua vez, levantava um problema que envolvia não os direitos da maioria, mas de todos os homens.

Além disso, os *levellers* associam a igualdade política à liberdade política, apresentando, pela primeira vez, a ideia do consentimento dos governados. Ouçam as palavras de Sir John Wildman.

> Todo e qualquer habitante da Inglaterra detém o claro direito de eleger seu representante como o mais proeminente membro da nação. Compreendo ser esta a máxima inegável do governo: todo governo origina-se no livre consentimento do povo. Não há, por conseguinte, um só que esteja sob justo governo, ou que o detenha com justiça, quando a ele não se submete por livre consentimento. Nada disso tem lugar se não der seu consentimento, e como consequência, segundo o declara nossa máxima, não há um só na Inglaterra [que não devesse ter voz nas eleições]. Praticado [isso], de acordo com o que declara aquele senhor, lei não haveria, que seguisse tal rigorosa e severa justiça [a que todo homem está obrigado], que não fosse feita por aqueles a quem é dado o consentimento. Portanto, proponho que seja esta a questão, tendo ela de ser formulada – o que logo daria termo às coisas: poderia alguém estar justamente submetido à lei sem dar aos que as leis formulam o seu consentimento?

Que argumentos favorecem e se opõem a essa posição? O posicionamento dos *levellers*, representados por Wildman e pelo major Rainborough, é o que se segue.

Eles recorrem aos direitos naturais. Todo homem detém o direito natural – um direito inerentemente humano – de ser governado como homem livre, isto é, dando seu consentimento ao governo e nele participando através de um sufrágio eficaz. Ainda que haja diferenças econômicas entre cada cidadão, eles devem ser politicamente equivalentes, pois a igualdade concedida pelo fato de todos serem humanos, com cada um possuindo seu direito à liberdade, garante-lhes a igualdade política.

A réplica dos oligarcas – Cromwell e Ireton – é esta. A liberdade política pertence apenas àqueles que têm independência econômica suficiente para não se submeterem à vontade de outros. Apenas um homem de posses desfruta dessa independência. Apenas aqueles que têm um interesse fixo e permanente pelo reino – através da posse de terras ou de interesses comerciais – devem ter voz nos assuntos que lhe dizem respeito. O pobre, aquele que começa a trabalhar quando criança, possui pouca ou nenhuma instrução, tendo então pouco ou nenhum tempo para a política. Dessa forma, a ele falta a competência previamente exigida pelo sufrágio.

Além disso, os oligarcas se mostram cientes da ameaça imposta pela ideia dos *levellers* de dar aos pobres e aos ricos uma equivalência política. O apelo aos direitos naturais, insiste repetidamente Cromwell, leva à anarquia, convidando à queda dos direitos e privilégios legais já estabelecidos. Ainda mais aterrorizante é a ameaça à propriedade em si. Afinal, como indicam Ireton e Cromwell, se houver uma equiparação política entre os pobres, que são muitos, e os ricos, que são a minoria, o que os impedirá de votar por medidas que equilibrem a distribuição da riqueza, tirando-a dos ricos e dando-a aos pobres?

A essas duas acusações, em especial à segunda, os *levellers* não apresentam nenhuma resposta satisfatória, embora tentem garantir aos ricos que eles nada devem temer.

Quase duzentos anos depois, em 1821, uma discussão semelhante teve lugar na Convenção Constitucional do Estado de Nova York. No debate, o chanceler Kent dirigia-se à alta sociedade do norte do estado, a qual, possuidora de terras, temia a prolífera população da cidade de Nova York, composta majoritariamente de imigrantes e de pobres sem instrução. O chanceler observou que não é possível voltar atrás após o estabelecimento do sufrágio universal. Disse ele: "O sufrágio universal, uma vez garantido, está garantido para sempre, jamais sendo possível revogá-lo. A retaguarda da democracia não recua".

Em seguida, ele se opõe ao sufrágio com o seguinte fundamento:

> O perigo apreendido a partir da aplicação do sufrágio universal a todo o departamento legislativo não é nenhum devaneio. Ele representa uma agitação por demais poderosa para ser tolerada pela constituição moral dos homens. A tendência do sufrágio universal é comprometer os direitos de propriedade e os princípios da liberdade.

Seus oponentes, tal como os oponentes de Cromwell e Ireton, tentaram assegurar-lhe de que a igualdade política que exigiam não representava qualquer ameaça à propriedade e aos outros direitos e privilégios legalmente estabelecidos.

(Mais uma vez, devemos observar que, quando eles falam do sufrágio universal, as palavras "todos os homens" se referem tão somente a todos os homens brancos, e não aos negros ou às mulheres.)

No meio desses dois debates, as leituras da primeira segunda-feira complementam a discussão com um extraordinário artigo de Benjamin Franklin, que afirma que a minoria de ricos não deveria prevalecer sobre a maioria de pobres, pois nenhuma sabedoria política específica está vinculada à posse de riqueza. Ao longo de seu raciocínio, Franklin formula aquela que é, de longe, a declaração mais radical – não apenas de seu tempo, mas de todos – sobre os direitos de propriedade. Cito-a.

> A propriedade privada é, portanto, um produto da sociedade, estando sujeita aos clamores dessa mesma sociedade sempre que suas carências assim o exigirem, até mesmo à sua última migalha; suas contribuições à demanda pública não devem ser vistas como se conferissem um benefício ao povo, qualificando os contribuintes às distinções de honra e poder, mas sim como o retorno de uma obrigação previamente recebida, ou como o pagamento de uma dívida justa.

A quarta leitura da primeira segunda-feira – a Declaração da Independência, a qual espero que vocês conheçam toda de cor, ou pelo menos as vinte primeiras linhas do segundo parágrafo – parece nada dizer sobre o conflito entre democratas e oligarcas. Ainda assim, somos levados a nos questionar sobre o que se encontra implícito nas declarações de que todos os homens foram criados iguais, de que eles possuem alguns direitos inalienáveis, de que entre esses direitos encontra-se o direito à liberdade e de que o livre governo e a liberdade política envolvem o consentimento dos governados. À luz da controvérsia tão claramente exposta pela discussão do exército de Cromwell, da Convenção Constitucional do Estado de Nova York e do artigo de Benjamin Franklin acerca da representação e da propriedade, nosso debate sobre a Declaração geralmente nos leva a diferentes interpretações de seu significado.

Se eu tivesse de parar por aqui, depois de ter apenas resumido o conteúdo examinado na primeira segunda-feira, vocês achariam difícil perceber a relevância das leituras do Aspen Institute neste outono de 1972, quando as questões envolvidas na disputa pela presidência têm sido encaradas pelos candidatos? As leituras da primeira segunda-feira expuseram todos os conceitos básicos: igualdade, propriedade e justiça; cada um deles vinculado à questão dos direitos. Porém, passando para a terça-feira e para a quarta-feira, vocês perceberão que muito ainda precisa ser lido e discutido para que esses conceitos se tornem mais claros e para que possamos compreender melhor as muitas questões que eles abrangem.

PRIMEIRA TERÇA-FEIRA (SEGUNDA SESSÃO)

R. H. Tawney, *Igualdade*, 1929
Henry George, *Progresso e Pobreza*, 1879
William Graham Sumner, *O Desafio dos Fatos*, 1890
John C. Calhoun, *Sobre o Governo Constitucional*, 1831

Embora seja Tawney o autor mais recente, é com ele que nossa discussão tem início, pois os capítulos que lemos em seu livro sobre a igualdade nos ajudam a traçar as seguintes distinções, necessárias para que sejam esclarecidas as questões relacionadas ao tema. Por um lado, temos a igualdade e a desigualdade pessoal, uma igualdade ou desigualdade de dons e talentos que emerge da comparação de um indivíduo com outro. Depois, encontramos a igualdade ou a desigualdade de condições – daquelas circunstâncias externas sob as quais vivemos, tais como as oportunidades ou prestígios sociais, políticos e econômicos.

Tawney e Henry George também nos ajudam a perceber que a questão que divide os autores lidos para esta terça-feira não é a mesma questão que dividia os autores lidos para a segunda-feira. Ontem, o problema era: as pessoas economicamente diferentes – os ricos e os pobres, os homens dotados de terra e os homens sem propriedades – deveriam se tornar politicamente iguais, com a cidadania sendo concedida também aos pobres? Agora, porém, mais de duzentos anos após o debate dessa questão no seio do exército de Cromwell, Tawney e George, vivendo em sociedades em que o sufrágio fora amplamente expandido, se não ainda universalizado, propõem uma pergunta diferente e levantam outra questão.

O que eles perguntam é: agora que o sufrágio foi concedido às classes trabalhadoras, que representam a maioria da população e que permanecem pobres, não devemos fazer algo para que aqueles que são politicamente iguais – ao menos no direito ao voto – possam também ser economicamente iguais? Não devemos diminuir o abismo entre o poder econômico dos ricos e a impotência dos pobres, de modo a tornar o sufrágio dos pobres politicamente eficaz, e não apenas um fingimento inexpressivo?

Formulada em outras palavras, a questão é se a democracia ou a igualdade política só podem ser instauradas através da democracia e da igualdade econômica. (Não eram infundados os medos de Cromwell, de Ireton e do chanceler Kent quanto à violação dos direitos de propriedade ocasionada pela extensão da cidadania aos pobres.)

Tawney e George afirmam que a promoção da igualdade econômica é completamente indispensável à eficácia da democracia política. Escutem o que Henry George tem a dizer.

> Onde houver algo semelhante a uma homogênea distribuição da riqueza, o governo será melhor quanto mais democrático for; porém, onde encontra-se uma flagrante desigualdade na distribuição da riqueza, pior será o governo quanto mais democrática a sua natureza. Afinal, embora uma democracia podre não seja, em si, pior do que uma autocracia podre, seus efeitos sobre o caráter nacional serão mais severos. Passar o poder político às mãos de homens amargurados e degradados pela pobreza equivale a atar tições a raposas e soltá-las livremente em meio ao trigo firme. Seria como ferir os olhos de um Sansão e enroscar seus braços ao redor dos pilares que sustentam a vida da nação.

Contra eles, John Calhoun e William Graham Sumner afirmam que a igualdade de condições – em especial na esfera econômica – representa a morte da liberdade individual. A igualdade de condições econômicas não pode ser produzida sem que o governo central controle a economia, e isso tende a reduzir ou eliminar a livre iniciativa. A liberdade e a igualdade não são conciliáveis, afirmam Sumner e Calhoun. Escutem o que Calhoun declara.

Há ainda outro erro, não menor ou menos perigoso, que em geral vem associado àquele que acabou de ser considerado. Refiro-me à opinião de que a liberdade e a igualdade têm uma ligação tão forte que a primeira não pode ser aprimorada sem a perfeita igualdade.

Reconhecemos que ambas se unem em determinado grau e que a igualdade dos cidadãos, aos olhos da lei, é essencial à liberdade que se encontra em um governo popular. Contudo, ir além e tornar a igualdade de condições essencial à liberdade seria aniquilar tanto a liberdade quanto o progresso. Isso se dá porque a desigualdade de condições, embora seja uma consequência necessária da liberdade, é também indispensável ao progresso.

Deparamo-nos, assim, com uma colisão frontal entre os defensores da liberdade que convida à igualdade e os defensores da liberdade que convida à desigualdade, com a igualdade e a desigualdade, em ambos os casos, se referindo a aspectos econômicos. Seria possível resolver essa questão? Existiria alguma forma de destrinçá-la?

Não sem uma compreensão mais profunda do que quer dizer igualdade econômica. É ao tentar solucionar essa difícil questão que encontramos em Tawney nosso maior auxílio. Ele sugere que existem apenas dois significados possíveis para a igualdade econômica. O primeiro se refere à igualdade pecuniária, à igualdade de posses, à igualdade de propriedades ou de dinheiro no banco – no fundo, uma igualdade que é medida em termos *quantitativos*. O outro significado se refere à igualdade econômica das pessoas que têm tudo o que *qualquer* ser humano precisa para levar uma vida decente – ainda que alguém possa ter mais do que o necessário e outro possa ter apenas o essencial. Esse é claramente um significado *qualitativo* da igualdade econômica, em oposição ao significado *quantitativo*.

Examinando com cuidado as páginas de Tawney, descobrimos que, para ele, é extremamente quimérico tentar consolidar a igualdade econômica em seu sentido quantitativo; que, idealmente, a igualdade econômica, ou a sociedade sem classes econômicas, só pode ser concebida em termos qualitativos; em outras palavras, que todo ser humano deve possuir o que necessita para levar uma boa vida, embora alguns possam ter mais do que isso. Como vocês podem imaginar, isso suscita muitos questionamentos sobre as necessidades humanas, assim como um número considerável de desacordos acerca da praticabilidade de qualquer um dos dois sentidos de equivalência econômica.

Ainda assim, a questão da igualdade econômica permanece conosco quando passamos para o dia seguinte e para os próximos. Ela envolve dois problemas. O primeiro é: a democracia política pode funcionar se alguns membros da população possuírem menos bens econômicos do que o necessário – bens como educação, cuidados médicos, tempo livre, lazer, etc.? E o outro: ela pode funcionar se uma parte da população possuir muito mais do que precisa, de modo que o excesso de riqueza lhe conceda um poder político e uma influência indevida?

PRIMEIRA QUARTA-FEIRA (TERCEIRA SESSÃO)

>Alexis de Tocqueville, *A Democracia na América*, 1835
>Theodore Roosevelt, *O Novo Nacionalismo*, 1910
>*Plataforma do Partido Progressista*, 1912

À medida que o segundo dia de discussões deságua no terceiro, encontramos Theodore Roosevelt dizendo, em 1910, o que Henry George dissera em 1879 e o que Tawney dirá na Inglaterra vinte anos depois: a pobreza, ou o abismo entre os ricos e os pobres, impede os pobres de fazerem com que sua influência seja sentida nos assuntos públicos, ainda quando assegurados seu sufrágio e sua igualdade política com os ricos. Escutem o que diz Roosevelt em 1910.

>Homem algum pode ser um bom cidadão quando não desfruta de um salário que seja mais do que o suficiente para cobrir os custos elementares de sua vida, assim como de um tempo de trabalho curto o bastante para que, após um dia trabalhando, ele tenha tempo e energia para desempenhar o papel que lhe cabe na administração da comunidade, para ajudar a carregar o fardo geral. Nós evitamos que inúmeros homens sejam bons cidadãos com as condições de vida que colocamos ao seu redor.

No entanto, segundo nos mostra, aos poucos, a leitura de Tocqueville, o problema que aqui encaramos não pode ser solucionado com facilidade.

De fato, à medida que lentamente compreendemos a perspectiva sobre a democracia que domina a análise de Tocqueville, lentamente percebemos, também, o quão aterrorizante é o inevitável problema que encaramos.

Uma ponte une os nossos debates quando passamos de Tawney, no segundo dia, para Tocqueville, no terceiro. Atingimos uma compreensão mais profunda do que Tawney quer dizer ao defender seu ideal de igualdade quando descobrimos que seu objetivo é uma verdadeira sociedade sem classes, na qual todos os homens são tratados da mesma forma, sem que sejam levadas em consideração as casualidades de seu nascimento, as suas posses, seu trabalho e outras circunstâncias que poderiam dividi-los em classes sociais e econômicas antagônicas. Embora Tocqueville não use a expressão "sociedade sem classes", somos prontamente capazes de perceber que, para ele, a democracia como sociedade de condições universalmente equivalentes – com condições sociais, econômicas e políticas iguais – está também relacionada a uma verdadeira sociedade sem classes.

Tendo compreendido isso, também compreendemos que, para Tocqueville, o tipo de democracia – de igualdade de condições – que em 1835 ele via nascer nos Estados Unidos deveria ser disseminada, sob ordens da Providência Divina, até que tomasse conta de todo o mundo, substituindo o antigo regime da aristocracia, da desigualdade e dos direitos especiais. Porém, enquanto Tocqueville é aquele que profetiza a ascensão das instituições democráticas nas relações humanas, ele também ostenta o grave pressentimento de que o triunfo da democracia pode vir acompanhada da supressão da liberdade. Resumindo, ele se mostra receptivo à afirmação, feita por Calhoun, de que a liberdade individual não pode se conciliar com a igualdade de condições. Em uma de suas passagens mais marcantes sobre o tema da liberdade e da igualdade, ele escreve:

> Acredito que as comunidades democráticas têm uma inclinação natural à liberdade; elas naturalmente a buscarão e valorizarão, encarando qualquer supressão dela com pesar. Porém, pela igualdade sua paixão é ardente, insaciável, incessante, invencível; elas clamam pela igualdade na liberdade, e, nada disso obtido, clamam ainda pela igualdade na escravidão. Elas tolerarão a pobreza, a servidão, o barbarismo; contudo, não tolerarão a aristocracia.

O pressentimento de que a democracia, alcançada mais perfeitamente com a igualdade de condições – principalmente se essas condições forem econômicas –, pode levar ao despotismo é expresso numa passagem que nos estarrece quando a lemos pela primeira vez. Cito-a.

> Acredito, assim, que as formas de opressão que ameaçam as nações democráticas diferem de tudo o que já existiu no mundo; nossos contemporâneos não recordarão de protótipo algum. Procuro em vão por uma expressão que comunique de maneira precisa toda a ideia que dela formei; as velhas palavras "despotismo" e "tirania" são inadequadas. O objeto em si é novo, e, como sou incapaz de nomeá-lo, devo tentar defini-lo.

O que é essa forma nova, e ainda mais terrível, de tirania e despotismo que Tocqueville não consegue nomear? Nesse momento, palpites de todo tipo surgem no debate, até que finalmente descobrimos que o nome almejado por Tocqueville só se tornaria universalmente difundido um século depois. Esse nome é *totalitarismo*. Assim, a partir de outras passagens que, por questões de tempo, não posso citar, começamos a compreender que aquilo que Tocqueville previa era a ascensão da democracia totalitária, por mais paradoxal que isso possa soar.

Percebendo isso, perseveramos em nosso debate sobre Tocqueville tentando compreender, em primeiro lugar, por que a igualdade de condições, em especial a de condições econômicas, pode culminar num Estado totalitário, no qual o governo central exerce um poder completo sobre a vida das pessoas. Em seguida, procuramos descobrir se Tocqueville encontra algum antídoto para isso, alguma forma de impedir o azedamento da democracia.

Com relação ao primeiro problema, Tocqueville nos mostra que, no intuito de obter e preservar a igualdade de condições, o povo tende a conceder mais e mais poderes ao governo central, que caminha para o totalitarismo quando próximo de obter o monopólio dos poderes político e econômico. Quanto ao segundo, ele de fato tem um antídoto a nos propor. Eu gostaria que houvesse tempo para citar as magníficas passagens que examinamos e dissecamos no seminário, mas devo resumi-las rapidamente.

No antigo regime, o poder do rei era refreado pelo poder compensatório dos nobres, aristocratas de diversas categorias e posições sociais. O poder do rei, diz Tocqueville, não acometia o povo com todo o seu peso e força porque seu ímpeto era contido pelo que ele chama de agências locais e secundárias do governo, incorporadas pelos duques, condes e barões. (Era assim que as coisas aconteciam até Luís XIV enfraquecer a nobreza e transformar a si mesmo no autocrata da França.) Por analogia, Tocqueville sugere que uma democracia que tenha igualdade de condições pode ainda preservar a liberdade individual, concedendo um poder compensatório a agências secundárias do governo, na forma de associações ou empresas privadas não instituídas pelo governo central. Para que isso funcione, a propriedade privada deve ser preservada e protegida. Afinal, sem isso as empresas ou as associações privadas não têm como exercer, de maneira eficaz, o seu poder contra o governo central, impedindo que ele se torne o gigante monolítico que transforma o Estado numa monstruosidade totalitária.

Mais uma vez, em nosso terceiro dia de debates, nos confrontamos com um problema crucial acerca da liberdade e da igualdade – um problema que também diz respeito à propriedade e à justiça. De um lado, temos Theodore Roosevelt e seu discurso sobre o Novo Nacionalismo, exigindo um Acordo Justo e solicitando mais poderes para o governo central, a fim de que possa fiscalizar a atuação das empresas privadas e, assim, levar a liberdade e a igualdade a todos. Do outro, temos Tocqueville, que nos adverte de que isso pode ter um resultado completamente oposto e de que, para preservarmos a liberdade individual e promovermos, ao mesmo tempo, a igualdade política e econômica, devemos diminuir ou fiscalizar o poder do governo central, preservando, assim, a atuação das associações ou empresas privadas como agências secundárias de governo.

PRIMEIRA TERÇA-FEIRA, PRIMEIRA SEXTA-FEIRA, PRIMEIRO SÁBADO E SEGUNDA SEGUNDA-FEIRA (DA QUARTA À SÉTIMA SESSÃO)

Se eu tivesse de resumir tão detalhadamente o que precisa ser assimilado com as leituras e os debates realizados nesses dias, esta preleção tomaria proporções insuportáveis ou, ao menos, exaustivas. Ainda assim, devo dizer-lhes que o detalhamento que dei ao resumo dos primeiros três dias não faz justiça a todos os pontos abordados ao longo de nossas discussões. Eu li para vocês apenas uma pequena parcela das passagens que os participantes do seminário destacam, interpretam e debatem. Para seguir a tênue linha de discussão que escolhi como tema desta preleção, devo prosseguir com as leituras da oitava sessão, realizada na segunda terça-feira.

Embora deseje chegar lá imediatamente, eu não posso pular quatro dias de seminários, deixando de mencionar todas as leituras, temas e problemas que foram discutidos.

PRIMEIRA QUINTA-FEIRA (QUARTA SESSÃO)

Aristóteles, *Política*, livro I (século IV a. C.)
Rousseau, O *Contrato Social*, livro I (século XVIII)

Aqui, encontramos as questões mais básicas sobre a origem e a natureza da sociedade civil, da comunidade política e do Estado e seu governo, incluindo aí questões sobre como o governo é compatível com a liberdade; sobre as condições que tornam um governo legítimo; sobre o que está em jogo na distinção entre um governo despótico e um governo constitucional; e sobre a diferença entre estar sujeito a um déspota e ser cidadão de uma República.

Durante o debate desses temas, emerge outra questão básica sobre a igualdade: seriam todos os homens de fato iguais? Aristóteles afirma que alguns estão naturalmente destinados a serem cidadãos e a exercerem sua liberdade política, enquanto outros estão destinados à escravidão e a servir seus mestres. Rousseau, por sua vez, afirma o extremo oposto: todos os homens estão naturalmente destinados a uma vida livre, sendo a criação e as circunstâncias, e não a natureza, as responsáveis por fazer com que alguns homens pareçam submissos.

Não posso deixar de mencionar, aqui, que, em todos os seminários que moderei, alguns participantes – com frequência um alto número deles – acabam por se ver em consonância com Aristóteles, e não com Rousseau. *Encarem isso da forma como quiserem!*

PRIMEIRA SEXTA-FEIRA (QUINTA SESSÃO)

Platão, *A República*, livros I e II

com o Diálogo Meliano da *História da Guerra do Peloponeso*, de Tucídides, e

PRIMEIRO SÁBADO (SEXTA SESSÃO)

Maquiavel, *O Príncipe*

Decidi agrupar ambos esses dias porque, juntas, suas leituras nos levaram a discutir nossas duas questões mais importantes sobre a natureza da justiça e sobre a relação entre justiça e conveniência.

A primeira dessas questões é das duas a mais fácil. Uma única linha de Platão nos ajuda a respondê-la: aquela na qual ele afirma que a justiça consiste em dar a cada um o que lhe é devido – aquilo que lhe pertence legitimamente. Mesmo que essa não seja a resposta completa, e mesmo se essa resposta envolver questões ulteriores sobre o que cabe ao homem ou sobre o que legitimamente lhe pertence, ela pelo menos é o começo de uma resposta acerca da natureza da justiça.

A segunda questão sempre deixa todos muito confusos, pois Platão a formula de maneira extremamente vigorosa e sem fornecer, em nenhum dos textos que lemos, sequer uma pista sobre sua resposta. A questão é: por que eu deveria ser justo? O que isso me acrescenta? Ser justo com os outros contribuirá para a minha própria felicidade? Resumindo: é conveniente ser justo?

Assim exposto o problema por Platão, ficamos ainda mais perturbados diante das recomendações que Maquiavel dá ao príncipe com relação à conveniência ou inconveniência de ser um governante virtuoso. Seria conveniente governar com justiça se forem perversos cada um, ou ao menos a maioria, dos homens? E seria de fato perversa a maioria dos homens, ou seria ela perversa só na maior parte do tempo? Se assim for, o que mais conviria na hora de lidar com os homens? E se não for, a justiça também serial, afinal, conveniente?

SEGUNDA SEGUNDA-FEIRA (SÉTIMA SESSÃO)

Sófocles, *Antígona* (século V a. C.)
Melville, *Billy Budd* (século XIX)
Martin Luther King, *Carta de uma Prisão em Birmingham* (século XX)

Seria impossível resumir o debate sobre a tragédia que essas leituras, de maneira maravilhosamente intrincada, estimulam e promovem. Tenho tempo somente para afirmar uma coisa: quando compreendemos que a essência da tragédia consiste em ter de fazer uma escolha inevitável entre alternativas igualmente más, a *Carta de uma Prisão em Birmingham*, de Martin Luther King, abre nossos olhos para a trágica escolha que os Estados Unidos têm de fazer hoje diante do conflito entre justiça e conveniência no tratamento dos negros.

Cobertos por mim muito rapidamente, todos esses quatro dias contribuem, de formas que não tive tempo de indicar, para a compreensão dos problemas da democracia e do capitalismo no século XX. Deixando a afobação de lado, passo agora para os cinco dias restantes, nos quais lidamos com a relação entre a liberdade, a legislação e o governo e com os problemas básicos da produção de riquezas, de sua distribuição e da posse de propriedades. As questões sobre a liberdade aparecem na segunda terça-feira.

SEGUNDA TERÇA-FEIRA (OITAVA SESSÃO)

John Locke, *Segundo Tratado sobre o Governo Civil*, 1689
Jonathan Boucher, *Sobre a Liberdade Civil*, 1775
John Stuart Mill, *Sobre a Liberdade*, 1863

São duas as questões que orientam a discussão sobre esses três textos: a primeira é se existe apenas uma ou várias concepções de liberdade nas páginas lidas; e a segunda, caso existam várias, é como elas diferem sobre a relação da liberdade com a lei e o governo. O exame dessas questões tem reflexo nos debates anteriores sobre a relação entre liberdade e igualdade e sobre as distinções dos tipos de governo que temos considerado. Para resumir da maneira mais rápida o que pode ser compreendido a partir da leitura e do debate desses conteúdos, talvez devamos entender aquilo que desempenha um papel central e crucial nas visões apresentadas por cada um desses autores.

Comecemos com Jonathan Boucher, pregador do partido Tory que, nas colônias norte-americanas, tenta convencer sua congregação a não se rebelar contra o rei e o Parlamento. Para ele, o rei governa, por direito divino, como vigário de Deus na Terra. Ele leu o *Segundo Tratado sobre o Governo Civil* de John Locke e não está nem aí para essa história de liberdade produzida pelo consentimento dos governados e para os direitos naturais inalienáveis, incluindo o direito de dissentir e até de se rebelar. A liberdade, para Boucher, não consiste em fazer o que é da própria vontade, mas apenas em realizar as obrigações de cada um; e, como a lei – a lei de Deus ou a lei do Rei – estabelece o que deve ou não deve ser feito, a liberdade consiste em agir de acordo com a lei. As esferas da lei e da liberdade – da conduta regulada pela lei e da conduta que manifesta a liberdade – coincidem perfeitamente. Todo o resto, isto é, a prática daquilo que se deseja, é rebeldia, não liberdade.

Consultando nossos textos, logo descobrimos que Boucher se encontra numa extremidade e que J. S. Mill – o grande expoente do liberalismo no século XIX – se encontra em outra completamente oposta. A liberdade, de acordo com Mill, consiste na realização daquilo que se deseja fazer, contanto que não sejam ocasionados danos a outros ou à comunidade. Uma vez que a lei busca proibir a conduta que é lesiva – danosa à comunidade ou aos seus membros –, o indivíduo que se comporta legalmente – obedecendo à lei – não é, ao fazê-lo, livre. Assim também se dá com o criminoso que a desobedece; o comportamento criminoso é rebeldia, não liberdade. Enquanto Boucher torna perfeitamente coincidentes as esferas da lei e da liberdade, Mill as transforma em âmbitos absolutamente exclusivos. Isso nos deixa ainda mais estarrecidos quando o vemos afirmar que, quando a esfera da lei se amplia, a esfera da liberdade diminui, e vice-versa. Quanto mais formos regulados pela lei, menos livres seremos. Dessa forma, como alguém que deseja maximizar a liberdade humana, Mill clama pelo menor governo possível – não maior do que o necessário para fazer pela sociedade o que seus membros ou suas associações privadas não podem. (Discutindo sobre Mill, é impossível não percebermos como um liberal do século XIX se parece com um membro conservador do Goldwater Institute, no século XX.)

Tendo localizado os extremos opostos, nossa discussão agora tenta encontrar seu meio-termo. Essa posição é ocupada por John Locke. Seu ponto de vista se torna claro quando notamos que, para ele, a liberdade toma três formas distintas.

Em primeiro lugar, temos a liberdade política, aquela liberdade do cidadão que só é governado com o seu consentimento e que, através do sufrágio, tem voz ativa no próprio governo. (Essa, como lembramos, é a liberdade que Aristóteles imaginava ao falar do governo constitucional como o governo dos homens livres e iguais, em que cada cidadão possuía uma parcela da soberania e participava da própria administração.)

Em segundo lugar, temos a liberdade sob a lei. Segundo Locke, um homem é livre quando obedece uma lei que foi estabelecida por um governo a que deu o seu consentimento e quando, na elaboração dessa lei, ele teve participação através do sufrágio. (Percebemos como essa concepção de liberdade sob a lei é diferente da concepção expressa por Boucher. Segundo Boucher, seria livre o súdito de um monarca absoluto que obedecesse aos seus decretos, mas isso não é verdade para Locke. Apenas o homem anuente e que tem direito ao sufrágio é livre ao obedecer à lei.)

Em terceiro lugar, temos a liberdade de fazer o que quisermos em tudo o que a legislação não abarca. Ou, segundo diz Locke, "em tudo o que a lei não prescreve".

Expostas todas essas distinções, o debate começa a revelar o que há vários dias está em aberto. Tem sempre alguém que pergunta como um homem pode ser livre ao obedecer uma lei que se opõe ao que ele deseja. Ele se opôs à elaboração da lei, mas a lei tornou-se lei por causa da maioria, e ele faz parte da minoria contrariada. Como esse homem pode ser livre? Há sempre alguém que observa que, se ele não for livre, o domínio da maioria sob um governo constitucional envolve a limitação da liberdade das minorias — uma limitação da liberdade que equivale à dos súditos de um monarca absoluto.

A diferença, então, começa a ficar clara. O súdito de um monarca absoluto é governado sem o seu consentimento e sem ter qualquer participação no governo através do sufrágio. Porém, o cidadão de uma República deu o seu consentimento à constituição ou à estrutura do governo, assim como ao princípio de que é a maioria que decide. Portanto, ele concordou previamente com a legitimidade de uma lei que seja constitucional e que tenha o apoio da maioria. Nesse caso, uma lei assim é uma lei que ele mesmo elaborou, embora possa ter votado contra ela ou desejado que ela não fosse sacramentada. Assim, a minoria contrariada é tão livre sob a lei quanto a maioria que a promulgou.

Isso não quer dizer, claro, que uma maioria não possa desgovernar ou que outra minoria não possa ser oprimida por esse desgoverno. Porém, nós também acabamos por descobrir que o único antídoto contra o desgoverno pela maioria é a invenção norte-americana de uma revisão judicial da legislação. No caso do desgoverno despótico, o único remédio é a rebelião.

Ao fim de nosso colóquio sobre esses assuntos, não posso deixar de indicar uma constatação que surgiu ao longo de anos e mais anos de seminários no Aspen Institute. O século em que nos encontramos testemunhou uma mudança revolucionária que se assemelha a um divisor de águas continental ou a um marco histórico. Em todos os séculos precedentes, a injustiça social, política ou econômica sempre tomou a forma da exploração de poucos por parte de muitos – a minoria desgovernando e a maioria sendo oprimida. Em nosso século, pela primeira vez, a situação se reverteu radicalmente em todas as nossas democracias constitucionais: agora, essa injustiça assume a forma do desgoverno encabeçado por uma maioria e da opressão de uma ou outra minoria.

O portento ou panorama que aqui vemos para o futuro é o fim do conflito entre os interesses, contraditórios, das maiorias e das minorias, com a consolidação de uma sociedade com menos classes do que as que hoje existem – uma sociedade da qual todos os conflitos do gênero foram extintos. Outro ponto a ser assimilado, aqui, é o fato de que a rebelião contra o desgoverno é mais difícil de ser organizada quando o impulso à sua realização motiva uma minoria, e não uma maioria. Dessa forma, são menores as suas chances de sucesso.

SEGUNDA QUARTA-FEIRA (NONA SESSÃO)

Nesta ocasião, retornamos a três autores que já lemos: a Aristóteles, com sua *Política*; a Rousseau e *O Contrato Social*; e a Locke, com seu *Segundo Tratado sobre o Governo Civil*. Porém, agora os trechos que lemos não falam sobre o Estado e o governo, nem sobre a liberdade e a igualdade; eles falam sobre uma ideia que ainda não exploramos em nenhuma medida: a ideia de propriedade, que traz consigo questões relacionadas ao direito de posse, à produção e à distribuição de riquezas e – mais uma vez – as ideias de justiça e igualdade econômicas.

O texto que prepara o terreno de nossa discussão é o capítulo 5 do *Segundo Tratado sobre o Governo Civil*, de Locke – o capítulo que tem como tema a propriedade. Descobriremos que os argumentos básicos de sua análise são confirmados no capítulo 9 do primeiro livro O *Contrato Social*, de Rousseau. Algumas constatações adicionais serão extraídas da análise que fizermos daquilo que Aristóteles tem a dizer sobre a aquisição e a busca de riquezas nos últimos capítulos do primeiro livro de sua *Política*.

Quais são os argumentos básicos de Locke? O primeiro afirma que todo homem carrega consigo o direito natural à propriedade. Ele é dono de seu corpo, de sua mente e de todas as suas capacidades; eles lhe pertencem por direito de nascença. A posse de um homem por outro como escravo é uma violação de seu direito natural. O segundo argumento básico de Locke afirma que é contrário à propriedade natural tudo aquilo que for originalmente *comum* a todos os homens – a Terra e todos os seus recursos. Chegamos, então, à sua grande formulação da teoria do trabalho e da propriedade.

Quando um indivíduo mescla sua força de trabalho (física ou mental) com aquilo que é comum, o produto dessa mistura é seu por direito; ou, em outras palavras, o homem tem direito àquilo que ele produz a partir da aplicação de sua força de trabalho sobre aquilo que é comum a todos. Esse produto é uma propriedade legitimamente adquirida.

Os membros do grupo imediatamente atentam para duas limitações que Locke impõe à aquisição de propriedade. A primeira diz que o produtor não deve se apropriar de mais do que é necessário ou do que pode consumir: ele não deve adquirir um excesso que será descartado ou que permanecerá sem uso. A outra limitação impõe que ele não se aproprie em demasia do que é comum, a ponto de os outros não poderem adquirir, com o próprio trabalho, o que lhes for suficiente para satisfazer suas necessidades.

Até aí, tudo bem. Os argumentos que acabaram de ser apresentados parecem coerentes e inquestionáveis. No entanto, à medida que exploramos ainda mais o texto – e com maior cuidado –, nos deparamos com duas graves dificuldades, as quais nos deixam rodeados de incertezas e abrem as portas para os debates a serem realizados nos próximos dias.

A primeira dificuldade só é inteiramente compreendida depois que atacamos a seguinte passagem:

> Aquele que se nutre das bolotas colhidas sob um carvalho, ou das maçãs tomadas das árvores do bosque, certamente delas se apropriou para si mesmo. (...) E claro é que, se a primeira coleta não lhe deu delas a posse, nada mais lhe pode dar. Esse trabalho fez a distinção entre elas e aquilo que é de todos. Ele acrescentou-lhes algo mais do que a Natureza, mãe comum de todos, e assim elas se tornaram seu direito privado. (...) Dessa maneira, a grama que meu cavalo abocanhou, nos locais em que tenho direito a ela em comum com os outros, se torna propriedade minha sem a transferência ou o consentimento de ninguém. Meu trabalho de removê-la do estado comum em que se encontrava fixou nela minha propriedade.

O minério que encontrei ao escavar é meu em virtude de meu próprio trabalho. Porém, o que dizer da grama que meu cavalo abocanhou ou da turfa cortada pelo meu empregado? Aqui, como logo percebemos, aparecem pela primeira vez o capital e o trabalho como fatores vinculados na produção de riqueza. Meu empregado é uma mão de obra contratada, um trabalhador assalariado. O cavalo, que talvez eu possua por tê-lo capturado e amansado, é um capital legitimamente adquirido. Suponham, agora, que eu mesmo não trabalhe, mas que tenha colocado para trabalhar o meu cavalo (meu capital) e o meu empregado (trabalhador cujas remunerações paguei). Poderia eu reclamar, com justiça, a posse do produto gerado por esses dois fatores – dos quais um eu tenho posse (o cavalo) e o outro remunerei (o trabalhador)? A importância dessa questão se torna suficientemente clara para que percebamos ser melhor deixá-la de lado até a leitura dos documentos trabalhistas agendada para quinta-feira e do *Manifesto Comunista*, programada para o dia seguinte.

A segunda dificuldade nos acomete quando vemos Locke dizer que suas ajuizadas limitações à aquisição de riquezas são derrubadas pela invenção do dinheiro na forma de peças metálicas relativamente imperecíveis. Como a moeda não satisfaz nenhuma necessidade natural, como a alimentação, a moradia e o vestuário, ela não está sujeita à injunção de que homem algum deve evitar o acúmulo de mais do que precisa. E, como é relativamente imperecível, ela não estraga ou se extingue, ao contrário dos bens de consumo.

Locke não oferece qualquer solução a essa dificuldade; ele aparentemente não vê como impor restrições à acumulação de riquezas na forma de dinheiro ou moedas. Porém, sobre essa mesma questão, esse mesmo problema da aquisição limitada ou ilimitada de riqueza, Aristóteles tem algo a dizer. Nós observamos sua distinção entre riqueza natural e artificial: a riqueza natural, na forma de bens consumíveis; a riqueza artificial, na forma de dinheiro, o qual deve servir apenas como meio de troca.

À luz dessa distinção, Aristóteles, o moralista, recorda incessantemente que nosso objetivo não é apenas viver, mas viver bem; portanto, não devemos acumular riquezas sem parar, mas apenas enquanto delas necessitarmos para viver uma boa vida. Nesse momento, o debate se abre para questões sobre a virtude e a felicidade, sobre os desejos individuais e as necessidades naturais – questões éticas cuja importância reconhecemos, mas que não podemos examinar extensivamente. Ainda assim, elas pairarão sobre nossas cabeças durante as sessões seguintes, ao lidarmos com as questões, mais estritamente econômicas, que as leituras dos próximos dias levantarão.

SEGUNDA QUINTA-FEIRA (DÉCIMA SESSÃO)

Alexander Hamilton, *Relatório sobre Manufaturas*, 1790
Greve dos Carpinteiros de Boston, 1825
Preâmbulo do Sindicato dos Mecânicos da Filadélfia, 1827

Aqui, o foco de nosso debate é o documento incrivelmente notável conhecido como *Preâmbulo do Sindicato dos Mecânicos da Filadélfia*, publicado na Filadélfia por trabalhadores norte-americanos uns vinte anos antes de Marx e Engels lançarem o *Manifesto Comunista*. Antes de relatar o que aprendemos a partir de sua leitura e debate, devo indicar algumas coisas que acabamos por notar à luz dos outros documentos listados para esta sessão.

Os argumentos de Hamilton a favor da maior produtividade da economia industrial ou manufatureira, em contraste com uma economia agrícola e não industrial, nos leva a considerar os fatores que podem tornar uma economia mais produtiva do que outra.

Examinemos duas economias em que os únicos fatores que participam de sua produção de riqueza são os trabalhadores e as ferramentas manuais. A economia que estiver dotada de mais mãos de obra e mais ferramentas será a mais produtiva. Agora, consideremos duas economias: ambas possuem a mesma quantidade de mão de obra ou de recursos humanos, mas uma delas, além disso, tem também um maquinário produtivo, impulsionado por uma força que não é humana ou animal. Nesse caso, segundo afirma Hamilton, a economia que detém a maquinaria claramente será mais produtiva, pois o acréscimo de máquinas pode ser equiparado a um aumento na força de trabalho ou de mão de obra.

Achamos conveniente, neste momento, usar os termos "trabalhista" e "capitalista" para descrever as formas em que a riqueza é produzida, sem que seja levada em consideração como são possuídos os instrumentos de tal produção. Uma economia é trabalhista em seu modo de produção quando sua riqueza é produzida majoritariamente pelo trabalho humano, sendo este auxiliado apenas por ferramentas manuais e animais domesticados. Uma economia é capitalista em seu modo de produção quando sua riqueza é produzida pela combinação do trabalho humano com máquinas movidas a energia e com outros instrumentos capitais.

Tendo diante de nós essa distinção, vemos Hamilton dizendo que, numa economia capitalista, mais riquezas podem ser produzidas com menos forças de trabalho e que, à medida que instrumentos capitais se tornam forças produtivas mais e mais poderosas, a mesma quantidade de riqueza pode ser produzida com uma mão de obra cada vez menor.

O documento que registra a greve realizada pelos carpinteiros de Boston em 1825 apresenta declarações de três partes: dos operários – os carpinteiros, que são trabalhadores assalariados; dos mestres carpinteiros, os quais chamaríamos hoje de gerentes; e dos cavalheiros envolvidos na construção – claramente os capitalistas, ou donos dos meios de produção. Nesse primitivo exemplo de greve trabalhista, os operários exigem salários mais altos e uma jornada de trabalho mais curta – e essa última demanda não tem como objetivo apenas a aquisição de mais tempo livre, mas também o aumento das chances de outras pessoas, sem trabalho, serem empregadas. Os gerentes e os capitalistas respondem a essas exigências dizendo que salários mais altos estão fora de cogitação. Quanto à redução das horas de trabalho, isso não seria bom para os operários porque os levaria à ociosidade e ao vício. Nunca lhes ocorre que eles mesmos têm bastante tempo livre à disposição e que, se os operários tivessem recebido educação, também poderiam usar seu tempo livre para as atividades de lazer, e não para serem corrompidos pela ociosidade ou pelo vício.

Quando, alguns anos depois, os mecânicos da Filadélfia fizeram exigências semelhantes – reclamando salários mais altos e menos horas de trabalho –, eles enfatizaram especialmente isso, afirmando que desejavam ter mais tempo livre para as atividades de lazer tão essenciais para a condução de uma boa vida. Porém, não é esse o aspecto que julgamos mais estarrecedor – e mais inquietante – no Preâmbulo, o qual, inclusive, ecoa o tom retórico da *Declaração da Independência*. Ele é um texto extremamente rico e sutil, e ao estudá-lo descobrimos pontos que antecipam em vinte anos o *Manifesto Comunista*.

O mais óbvio desses pontos é a declaração de que, a não ser que os poucos capitalistas aumentem o poder de compra dos trabalhadores, que constituem a maioria da população, a elevada produtividade de uma economia industrial resultará na superprodução e no subconsumo, o que trará crises econômicas tanto para os capitalistas quanto para os trabalhadores. Deixando de lado todas as questões relacionadas à justiça, os mecânicos da Filadélfia mostram aos capitalistas que o aumento dos salários seria a eles tão interessante quanto conveniente, pois o crescimento do poder de compra dos operários permitiria que os trabalhadores adquirissem em maior quantidade os bens – tanto os itens supérfluos quanto os essenciais – que os capitalistas desejam vender.

Isso é rapidamente visto como uma predição do que Henry Ford tinha em mente ao aumentar a remuneração dos operários de sua fábrica em Detroit. De certa forma, seria também uma predição do que Marx profetiza: se os capitalistas continuarem pagando salários suficientes apenas para a subsistência do trabalhador, o capitalismo burguês semeará a própria destruição, pois os ciclos de prosperidade e fiascos culminarão numa única e gigante quebra, ou colapso, do sistema, dada através da superprodução e do subconsumo.

Perseverando numa leitura bem atenta do texto, descobrimos em seguida, diante dos argumentos apresentados, duas contradições que preparam o terreno para a discussão do *Manifesto Comunista*.

A primeira é esta. Por um lado, os mecânicos afirmam que o trabalho é a única fonte de renda, o único fator que resulta em sua produção, enquanto os capitalistas, donos dos meios de produção, em nada contribuem. Por outro lado, em vez de exigirem tudo – toda a riqueza produzida –, eles desejam apenas uma parcela justa. Se os capitalistas forem realmente improdutivos e o trabalho for de fato o único fator de produção, nenhum retorno deveria acabar nas mãos do capital, e sim na do proletariado.

A segunda contradição é esta. Embora, como vimos, os mecânicos afirmem ser o trabalho a única fonte de riqueza, o único fator produtivo, descobrimos que eles também afirmam, sucessivamente, que a produtividade elevada deve ser atribuída à elevada capacidade das máquinas produzidas a partir da ciência e da tecnologia modernas. De fato, eles indicam que essas máquinas poderosas diminuíram gradualmente a demanda por mão de obra. Isso sem dúvida é incompatível com a afirmação de que o trabalho é a única força produtiva, o único fator que atua na produção de riqueza.

Instantes atrás, afirmei que essas duas contradições preparam a nossa discussão sobre Marx, pois elas estão diretamente relacionadas à crucial questão que diz respeito à teoria do valor-trabalho e ao papel do capitalista na produção de riquezas. Porém, antes que partamos para o exame desse problema, voltemos brevemente à relação dessas contradições com o que aprendemos ao discutir a teoria da propriedade-trabalho de Locke, que é diferente da teoria marxista do valor-trabalho.

Imaginemos mais uma vez o homem que, através do próprio trabalho, delimitou um pedaço de terra e, depois, também a partir do próprio trabalho, capturou, amansou e adestrou um cavalo selvagem. Outro homem se aproxima de seu lote de terra e concorda, livremente, em trabalhar para ele em troca de determinada remuneração. Será que o homem que detém legalmente a terra e o cavalo, pagando outro para trabalhar para ele em seu terreno e com o seu animal, contribui para a produção, embora ele mesmo não trabalhe?

Segundo a teoria do valor-trabalho, para a qual o trabalho é o único fator a produzir riqueza, o capitalista (detentor da terra e do trabalho e empregador – ou explorador – da mão de obra) que não trabalha, não produz e, por isso, não deveria receber qualquer lucro. Porém, se a teoria contrária for verdadeira ao afirmar que atuam dois fatores distintos na produção – a mão de obra e o capital –, o dono do capital contribui para a produção quando o coloca à disposição do trabalho, ainda que ele mesmo não trabalhe. Dessa forma, ele deveria receber uma parte da riqueza produzida na mesma proporção do investimento de capital que realizara. Obviamente, há muito mais a ser dito sobre isso, mas é preciso que esperemos até a última sexta-feira e o último sábado, dias para os quais agora nos voltamos.

SEGUNDA SEXTA-FEIRA (DÉCIMA PRIMEIRA SESSÃO)

Marx e Engels, *Manifesto Comunista*, 1848
Horace Mann, *A Importância da Educação Pública, Gratuita e Para Todos*, 1854
Charles H. Vail, *O Movimento Socialista*, 1903

Descobrimos que Marx e Engels são mais vigorosos ao afirmar a teoria do valor-trabalho do que os mecânicos da Filadélfia e que, em vez de entrarem em contradição, eles não hesitam em extrair dessa premissa a única conclusão possível.

Toda a riqueza é produzida pelo trabalho; por si só, os instrumentos do capital usados pelos operários não passam de trabalho paralisado; o dono de tais instrumentos, que não trabalha, é completamente improdutivo e, como em nada contribui, não deve receber parcela alguma da riqueza produzida. Qualquer lucro obtido a partir do uso de seu capital é um incremento não merecido, uma exploração do trabalho que equivale a roubo.

Esse raciocínio, revelado através da leitura atenta de algumas páginas, foi aqui bem resumido. E, alguns parágrafos depois, lemos: para que toda a riqueza produzida a partir do trabalho seja desfrutada apenas pelo trabalhador, é necessário abolir a posse privada do capital e repassá-la para a própria comunidade, para o corpo coletivo conhecido como Estado. Dessa forma, o Estado se tornará o único distribuidor da riqueza produzida, tomando, segundo diz o lema, de cada qual segundo a sua capacidade e dando, a cada qual, segundo as suas necessidades.

Há ainda um passo nesse raciocínio que não se encontra suficientemente claro. Continuamos a nos perguntar o que significa dizer que os instrumentos do capital não passam de trabalho congelado e que, dessa forma, eles não deveriam ser de posse privada. O breve ensaio de Charles Vail, pioneiro socialista norte-americano, nos ajuda a compreender um pouco melhor essa questão.

Vail indica que, quando as ferramentas manuais eram produzidas privadamente pelo trabalhador e operadas por ele também de maneira privada, através de seu esforço individual, era bastante adequado que tais ferramentas fossem privadas e que o fruto de sua produtividade fosse adquirido privadamente. Porém, continua Vail, o capital industrial moderno é produzido e operado socialmente. Ele é socialmente produzido no sentido de que a ciência e a tecnologia que lhe dão origem são produtos da sociedade humana como um todo, amadurecidos ao longo dos séculos. Ele é socialmente operado no sentido de que exige uma força de trabalho organizada para que possa operar. Portanto, segundo afirma Vail, por ser socialmente produzido e operado, o capital industrial moderno deve ser socialmente possuído – pela coletividade ou pelo Estado – e a riqueza por ele produzida, distribuída pelo Estado.

Nesse momento, objeções começam a ser levantadas por toda parte. Mencionarei apenas algumas das mais significativas. Seria o capital socialmente produzido? Não é de domínio público a ciência e a tecnologia que participam da invenção do capital industrial? Elas não seriam como o comum de Locke, abertas à apropriação por parte de qualquer um que tenha a iniciativa e o engenho necessários para utilizá-las produtivamente? Se assim for, o argumento contra a posse privada do capital se mostra inadequado.

Se o capital foi adquirido com justiça pelo capitalista, e se o capitalista dá aos trabalhadores a remuneração que exigem como justa recompensa por seu serviço, a produção de riqueza parece envolver mais do que apenas um único fator de trabalho, esteja ele vivo ou congelado. Ele envolveria um fator de produção bastante distinto: os instrumentos do capital na forma de recursos naturais e de máquinas industriais. O proprietário do capital, então, parece um produtor, ainda que não trabalhe; e, como produtor, ele teria direito a uma parcela da riqueza produzida.

Levantadas essas questões e objeções, o debate retorna ao texto do *Manifesto Comunista*, a fim de observar uma inconsistência que nos abre uma nova linha de pensamento.

Por um lado, Marx afirma que é a posse privada dos meios de produção que origina a exploração do trabalho e a miséria do proletariado. Sendo essa a causa, o antídoto é claro: abolir a posse privada do capital. A famosa afirmação é lida da seguinte maneira:

> O traço distintivo do comunismo não é a abolição da propriedade em geral, mas a abolição da propriedade burguesa. A propriedade privada burguesa e moderna é a expressão definitiva e mais completa do sistema de produção e apropriação de produtos fundamentado nos antagonismos de classe, na exploração da maioria pela minoria.
>
> Nesse sentido, a teoria dos comunistas pode ser resumida nesta única frase: a abolição da propriedade privada.

Porém, apenas uma página depois, nos deparamos com outra declaração que sempre lemos em voz alta nos seminários e que agora lerei para vocês.

> Os senhores se mostram aterrorizados com nossa tentativa de dar fim à propriedade privada. Porém, na sociedade dos senhores, a propriedade privada já não existe para nove décimos da população; sua existência para os poucos se dá tão somente por causa de sua inexistência nas mãos desses nove décimos. Os senhores nos repreendem, portanto, por desejarmos eliminar uma forma de propriedade cuja condição necessária

de existência é a não existência de qualquer propriedade para a imensa maioria da sociedade.

Em suma, os senhores nos repreendem por desejarmos acabar com a sua propriedade. Exato; é precisamente isso o que desejamos.

Vocês escutaram o que foi dito? E vocês compreendem o que isso implica? Foi dito que menos de um décimo da sociedade detém os meios de produção. Para os outros nove décimos ou mais, a propriedade privada dos meios de produção já foi eliminada pelo vasto acúmulo que se encontra nas mãos de um número relativamente pequeno de capitalistas.

Uma rápida reflexão descobrirá o que aqui está implícito, a saber: a causa da injustiça ou da desigualdade econômica não é a propriedade privada do capital, mas a concentração dessa propriedade nas mãos de poucos. Contudo, se for essa a causa, e não a propriedade privada em si, o antídoto não pode ser a abolição da propriedade privada, mas a difusão da posse do capital, superando assim a sua concentração.

O antídoto marxista é exatamente o oposto. A posse de todos os meios de produção pelo Estado é ainda mais concentrada do que sua posse por parte de uma minoria de capitalistas burgueses. E, nesse momento, não há como não nos lembrarmos das consequências, previstas por Tocqueville, da concentração de todo o poder político e econômico nas mãos do governo central e de seus burocratas, num Estado totalitário em que todos os trabalhadores podem ser iguais, mas nunca livres.

Se a sociedade ideal é aquela que não tem classes, ou que ao menos não apresenta sérios conflitos entre elas, sendo todos os seus membros não apenas iguais, mas livres, então não é Marx, mas o educador norte-americano Horace Mann, quem nos diz como alcançar esse ideal. Essa fórmula é expressa numa única linha do ensaio que lemos na ocasião: "Em classes diferentes, o capital e o trabalho são essencialmente antagônicos; porém, na mesma classe, o capital e o trabalho são essencialmente fraternos".

Aqui é proposta uma república em que os cidadãos retiram parte de seu sustento dos lucros do capital e outra parte das remunerações obtidas pelo trabalho, com cada homem sendo ao mesmo tempo um cidadão e um capitalista, numa economia que preserva a propriedade privada e a livre iniciativa.

O debate agora atingiu um ponto em que podemos distinguir quatro formas de capitalismo e, então, perguntarmo-nos qual delas seria mais favorável à democracia política e à liberdade individual. As quatro formas podem ser nomeadas e brevemente descritas da seguinte maneira:

1. *Capitalismo burguês ou capitalismo do século XIX*, o qual só existe hoje em países atrasados como a Arábia Saudita ou a Bolívia. Nele, a posse do capital se encontra nas mãos de apenas uma minoria, havendo pouca ou nenhuma participação da maioria na prosperidade econômica.

2. *Capitalismo de Estado, também conhecido como comunismo*, no qual o Estado possui todos os meios de produção e distribui a riqueza de modo que, em alguma medida, todos participem da prosperidade econômica geral.

3. *Capitalismo socializado ou capitalismo de economia mista*, que é o encontrado nos Estados Unidos, na Inglaterra, nos países escandinavos e assim por diante, e no qual existe um setor privado, um setor público, certo grau de propriedade privada e livre iniciativa – tudo acompanhado de medidas governamentais complexas, que visam garantir a distribuição da prosperidade.

4. *Capitalismo difuso ou universal*, que é a economia, ainda inexistente, implícita na fórmula de Horace Mann. Nela, só é possível participar da prosperidade econômica geral através da posse do capital, e não através de medidas controladas e executadas pelo governo central.

A questão a ser respondida é: se fosse possível, qual dessas quatro formas de capitalismo vocês escolheriam para ser a base econômica de uma democracia política? Qual delas alcançaria uma igualdade política e econômica que não sacrificaria a liberdade política e individual?

Tudo o que aprendemos em nossas discussões anteriores parece influenciar criticamente essa escolha. Temos ainda mais um dia e mais uma leitura antes de decidirmos qual ela será – cada um por si e da forma que achar melhor, mas tendo a obrigação de fundamentar a própria escolha.

SEGUNDO SÁBADO (DÉCIMA SEGUNDA SESSÃO)

John Strachey, O *Desafio da Democracia*

Eu gostaria que houvesse tempo para indicar como essa última leitura nos ajuda a ligar todos os pontos de nossas outras discussões, mas não de modo a resolver todos os problemas que enfrentamos e a nos levar a conclusões de consentimento mútuo. Em vez disso, devo me contentar em indicar alguns pontos breves.

John Strachey, que era ao mesmo tempo um importante membro do Partido Comunista Britânico e um célebre exponente da doutrina marxista, contradiz a si mesmo neste ensaio publicado após a sua morte, e no qual ele afirma que a democracia política e a economia mista estão mais próximas de atingir o ideal que o comunismo reivindica para si do que o próprio comunismo: uma sociedade relativamente sem classes, com liberdade e igualdade para todos, com uma grande parcela de prosperidade econômica geral.

Os argumentos extremamente persuasivos de Strachey não impedem que o debate desse último dia volte a questionar se a economia mista seria capaz de resolver o problema de sua intrínseca espiral inflacionária; se o objetivo do emprego pleno dos trabalhadores não é um objetivo ilusório; e se, por sua própria natureza, a economia mista não seria uma mistura instável, fadada a contradizer a si própria pela ampliação do setor público às custas do setor privado ou a seguir a direção oposta, afastando-se cada vez mais da concentração do poder no governo central.

Strachey, como observamos, permanece essencialmente marxista, embora pareça dar razão ao capitalismo socializado que encontramos na democracia representativa, e não ao totalitarismo do capitalismo estatal, ou comunismo. Registramos de maneira particular a passagem em que ele diz:

> De uma forma ou de outra, o povo das sociedades democráticas desenvolvidas organizará a distribuição da receita nacional da maneira que lhe for adequada. A experiência mostra que isso pode ser realizado de diversas formas. O meio mais óbvio é organizando a estrutura fiscal para que os principais frutos da produção não sigam para os donos, mas sejam partilhados, direta ou indiretamente, com o grosso da população.

É impossível não observar como isso ecoa, de maneira clara, uma famosa passagem localizada ao fim do *Manifesto Comunista*: "O primeiro passo da revolução da classe operária é elevar o proletariado à posição de classe dominante, a fim de estabelecer a democracia".

Era esse o objetivo dos *levellers* quando, em 1647, exigiam a extensão da cidadania àqueles que não tinham propriedades. Porém, vemos Marx dizer em seguida:

> O proletariado utilizará sua supremacia política para, aos poucos, arrancar da burguesia todo o seu capital, para centralizar todos os instrumentos de produção nas mãos do Estado (...) e para aumentar com a maior velocidade possível o total das forças produtivas.
>
> Obviamente, no início isso só poderá ser realizado através de incursões tirânicas contra os direitos de propriedade e contra as condições burguesas de produção; através, portanto, de medidas que parecem economicamente insuficientes e indefensáveis, mas que superam a si mesmas ao longo do movimento, exigem outras incursões contra a velha ordem social e se mostram inevitáveis como meio de revolucionar por completo o modo de produção.

As medidas, que Marx então passa a enumerar, envolvem coisas como "um imposto de renda pesado, progressivo ou gradual", a "abolição de todo direito de herança", a posse estatal dos meios de produção — as mesmas coisas que Cromwell e Ireton, lá em 1647, temiam acontecer caso a cidadania fosse exercida pela maioria pobre e sem posses. Assim, chegamos à mesma posição, mas com uma reviravolta: trezentos anos após os debates do exército de Cromwell, a maioria agora prospera e é politicamente poderosa, ao mesmo tempo em que a minoria não mais se encontra no topo, mas na base. Isso levanta questões que as leituras do Aspen Institute podem esclarecer, mas não responder.

APÊNDICE III

Seminários para jovens: ingrediente essencial da educação básica

(trechos de um artigo publicado, em janeiro de 1982, no *The American School Board Journal*)

I

Que ingredientes são essenciais para a organização de seminários com jovens cujo foco são grandes livros e ideias e que objetivam a disciplina intelectual e o pensamento filosófico? Em primeiro lugar, permitam-me enumerar as condições externas que devem ser satisfeitas; em seguida, descreverei brevemente o que o professor – ou o moderador do seminário, nome mais apropriado – deve fazer.

(1) O grupo deve consistir em não mais de vinte ou 25 alunos com idades entre doze e dezoito anos, todos capazes de ler num nível superior ao da sexta série.

(2) O seminário deve durar pelo menos duas horas. Ele não pode ser conduzido ao longo das tradicionais sessões de cinquenta minutos.

(3) Os participantes devem se sentar ao redor de uma mesa quadrada e vazada, grande o suficiente para acomodar todos de maneira confortável e para permitir-lhes ver e falar uns com os outros e com o moderador. Seminários desse tipo não podem ser conduzidos em salas de aula comuns, com o professor encarando a turma e os estudantes encarando o instrutor.

(4) O chamado professor ou instrutor não deve ver a si mesmo como um professor ou instrutor no sentido comum desses termos. Fazendo isso, estará fadado a fracassar miseravelmente. Para que esse tipo de seminário tenha sucesso, ele deve ser conduzido como uma discussão entre iguais, com seu líder ou moderador sendo superior apenas por ter um pouco

mais de idade e por ser um leitor um pouco melhor, possuindo uma bagagem maior de leituras e uma mente mais disciplinada.

Esses pontos de superioridade jamais devem ficar muito evidentes, caso contrário o seminário deixará de ser um debate entre iguais e passará a ser uma sessão didática, em que o professor diz aos alunos o que sabe ou compreende e age como se eles estivessem lá apenas para absorver suas visões, sem questioná-las.

O líder ou moderador do debate deve imitar Sócrates, em especial a calculada ironia com que o filósofo finge não saber as respostas principais de sua investigação. Nela, Sócrates não passa do principal inquiridor, o primeiro entre iguais.

(5) Por fim, o que é necessário para esses seminários são materiais de leitura que satisfaçam as seguintes condições: (a) ao contrário dos livros didáticos, eles devem estar acima do conhecimento dos alunos, de modo que estes precisem lutar e se esforçar para compreendê-los; (b) eles devem ser relativamente curtos, raramente com mais de cinquenta páginas para determinada ocasião e, em geral, com menos de trinta, a fim de que possam ser lidos com atenção várias vezes, assim como marcados e comentados; (c) embora de curta extensão, eles devem ser extremamente ricos em conteúdo, de modo que os tópicos discutidos e as questões que eles levantam aguentem duas horas de debate; (d) eles devem, portanto, ser textos essencialmente filosóficos, e não apenas factuais ou informativos – isto é, devem lidar com ideias e levantar questões incapazes de serem respondidas através de investigações empíricas ou experimentais, de pesquisas históricas, da busca por fatos ou informações em enciclopédias; em outras palavras, a leitura e o debate devem almejar uma compreensão aprimorada, não a ampliação do conhecimento.

Se todas as cinco exigências externas não puderem ser satisfeitas, não há por que realizar tais seminários.

Se a administração da escola for tão inflexível a ponto de não abrir uma brecha em sua rígida rotina de aulas comuns, realizadas em salas tradicionais ao longo de cinquenta minutos, essa instituição não deve abrigar seminários.

Se for impossível encontrar instrutores que queiram deixar de ser professores no sentido comum da palavra (professores que ensinam pela exposição, e não pelo questionamento), ou se for impossível encontrar instrutores que queiram imitar Sócrates, esses seminários não devem ser esboçados.

Receio profundamente que existam muitas escolas – muitas mesmo – que não podem ou não querem satisfazer todas as condições que expus. Porém, não há escola em nosso país que já não apresente ou satisfaça algumas dessas condições, ou então que não possa satisfazê-las. Em qualquer instituição de ensino existem alunos o bastante para que esses seminários sejam realizados de maneira proveitosa; além disso, os materiais de leitura exigidos estão sempre disponíveis.

II

Chego agora ao âmago da questão. Satisfeitas todas as condições externas que mencionei, resta apenas especificar o papel do moderador nesses seminários. O que ele ou ela deve fazer? E de que maneira isso deve ser feito?

(1) Em primeiro lugar, o mais importante é que o moderador se prepare para a condução dos seminários lendo a obra indicada da maneira mais cuidadosa possível. Com um lápis na mão, ele deve sublinhar as palavras cruciais cujo significado deve ser lembrado; deve marcar as frases ou parágrafos fundamentais, nos quais, sucintamente, o autor formula, defende ou questiona suas teses subjacentes; e deve redigir todos os tipos de comentários marginais sobre as ligações de determinada parte do texto com outra.

(2) Em seguida, o moderador deve tomar uma série de notas aleatórias sobre todos os pontos, questões e problemas relevantes que, segundo julga, podem se tornar temas para a discussão.

(3) Então, ao examinar essas notas aleatórias, o moderador deve formular, com o maior cuidado possível, um número bastante reduzido de perguntas, que servirão como a espinha dorsal do debate de duas horas. Em algumas ocasiões, uma única pergunta será suficiente para cobrir esse tempo todo; em outras, serão necessárias três ou quatro; são raras, ou inexistentes, as vezes em que mais de cinco perguntas são exigidas.

Se mais de uma pergunta for feita, elas devem ser ordenadas de modo que a primeira introduza a questão que será mais bem explorada pela segunda; a segunda conduza a investigações ulteriores pela terceira; e assim por diante. Além disso, as perguntas têm de ser tais que todos do grupo possam ser chamados a respondê-las. A melhor pergunta inicial é a pergunta que cada um ao redor da mesa deve responder em sequência.

(4) O moderador nunca deve satisfazer-se com as respostas dadas. Ele sempre deve perguntar "por quê?". Não se deve permitir que nenhuma resposta passe sem que sejam apresentados argumentos que a sustentem.

(5) O moderador não deve permitir nunca que um aluno, ainda que pareça pensar e tentar responder a pergunta, se apresente com um discurso desmazelado, um discurso que nada mais é do que um gorgolejo de palavras atiradas contra a questão, na expectativa de que alguma delas acerte o alvo.

O moderador deve exigir, incansavelmente, que a resposta do aluno seja formulada da maneira mais direta possível; que sua declaração esteja gramaticalmente correta em todos os aspectos; que sua fala apresente frases claras e até mesmo parágrafos adequadamente formulados.

Acima de tudo, o moderador jamais deve permitir que uma palavra importante seja usada de maneira vaga ou ambígua. Ninguém pode estipular como os vocábulos devem ser empregados; no entanto, se dois alunos usarem a mesma palavra com dois sentidos diferentes, ou se determinado aluno empregar com outro significado um termo apresentado pelo autor ou pelo moderador, essa diferença deve ser reconhecida e esclarecida antes que a discussão dê o menor passo adiante.

(6) O moderador deve insistir na relevância das perguntas e das respostas. Com isso, quero dizer apenas que o aluno deve tentar responder a questão, e não apenas vomitar o que estiver passando pela sua cabeça no momento.

As perguntas feitas aos estudantes não são como o ressoar de um sino que indica ao aluno que agora é sua vez de falar, convidando-o a dizer tudo o que deseja, seja isso a resposta solicitada à pergunta ou não.

(7) Se, através das respostas fornecidas, parecer que os alunos não estão compreendendo a pergunta, o moderador deve repeti-las de todas

as maneiras possíveis, a fim de garantir que a questão seja, por todos, uniformemente entendida. Não há motivos para prosseguir se isso não foi alcançado. O moderador talvez precise lançar mão de uma ampla variedade de exemplos concretos para esclarecer a questão.

Fazer a mesma pergunta de várias formas diferentes e oferecer com ela uma diversidade de exemplos exige uma grande energia intelectual do moderador. A condução de seminários está longe de ser uma atividade fácil ou passiva, na qual o moderador age apenas como o presidente de uma reunião em que os participantes são convidados a dizer o que se passa por suas cabeças.

(8) No decorrer do debate, respostas conflitantes começarão a aparecer. Nesse momento, o moderador deve deixar claro para todos qual é o problema em questão. Apenas depois de esse problema ser formulado com clareza e compreendido por completo é que a discussão pode continuar.

Para auxiliar essa formulação e esse debate, o moderador deve usar o quadro-negro, colocando nele alguma espécie de diagrama esquematizado que delimite a questão e indique os posicionamentos que a ela se opõem, de modo que os alunos possam identificar a posição que estão assumindo ou a visão que estão defendendo.

A partir de suas repetidas experiências na condução de seminários com a mesma quantidade de leitura, o moderador saberá com antecedência como elaborar esses diagramas, muitas vezes passando-o para o quadro-negro antes de a discussão começar. Apresentados assim, de maneira esquematizada, os diagramas utilizarão símbolos que no início parecerão meros hieróglifos aos alunos e que só se tornarão inteligíveis quando determinado ponto da discussão for alcançado.

(9) O seminário não deve almejar conclusões que todos aceitem. Pelo contrário, ele deve permitir que os alunos compreendam as perguntas a serem respondidas e as questões a serem solucionadas. O importante é a compreensão das perguntas e de suas várias respostas, e não esta ou aquela resposta específica, por mais profunda e verdadeira que ela seja.

(10) Quando são realizados seminários sucessivos, todo e qualquer entendimento alcançado no seminário anterior deve ser usado na abordagem das

questões ou dos problemas levantados nos eventos seguintes. Portanto, uma ordenação útil dos materiais de leitura é tão importante quanto sua própria seleção.

(11) O moderador jamais deve menosprezar o aluno ou tratá-lo como a maioria dos professores o trata durante as aulas de cinquenta minutos de duração. O moderador deve se esforçar ao máximo para entender o que se passa na mente de outro ser humano que, embora bem mais novo, está se esforçando para compreender algo que é de difícil compreensão para todos, inclusive o moderador.

(12) O moderador deve ser paciente e educado ao lidar com as pessoas ao redor da mesa – tão paciente e educado quanto deveria ser com os convidados reunidos à mesa de jantar. Ele deve estabelecer um exemplo de etiqueta intelectual a ser imitado pelos participantes. Acima de tudo, o moderador deve conduzir todo o debate com um sorriso no rosto, tentando suscitar risadas diante do maior número de questões possível. Nada instiga mais o conhecimento do que risadas e sagacidade.

III

Aqui se encontra uma lista de materiais de leitura organizada mais ou menos em ordem cronológica, a partir da qual diferentes seleções podem assumir diferentes ordens e sequências, dependendo do número de seminários que serão conduzidos em sequência.

Platão, *Apologia*
 República, livros I e II

Aristóteles, *Ética*, livro I
 Política, livro I, com Rousseau, *O Contrato Social*, livro I

Marco Aurélio, *Meditações*, com Epíteto, *Enchiridion*

Lucrécio, *Sobre a Natureza das Coisas*, livros I-IV

Plutarco, *Vidas Ilustres*, Alexandre e César

Agostinho, *Confissões*, livros I-VIII

Montaigne, *Ensaios* (seleção de ensaios, todos curtos)

Maquiavel, *O Príncipe* (seleção de capítulos curtos)

Locke, *Segundo Tratado sobre o Governo Civil*, capítulos I-V

Declaração da Independência, Preâmbulo da Constituição dos Estados Unidos e o Discurso de Gettysburg, de Lincoln

Hamilton, Madison, Jay, *O Federalista*, capítulos I-X

J. S. Mill, *O Governo Representativo* (seleção de capítulos)

Melville, *Billy Budd*, com Sófocles, *Antígona*

Você pode interessar-se também por:

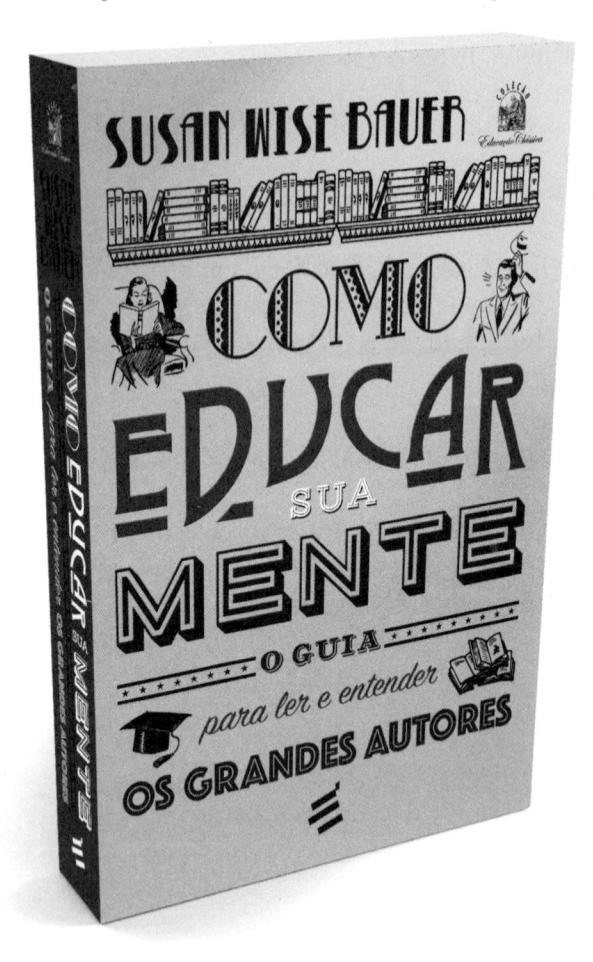

Em *Como Educar sua Mente*, Susan Wise Bauer descreve as três fases da tradição clássica: ler para conhecer os fatos; ler para avaliar os fatos e, finalmente, ler para formar as próprias opiniões. Depois de explicar a mecânica de cada fase, Bauer oferece uma seção "lista de livros", com gêneros separados em capítulos. Ela introduz cada gênero com um resumo de seu desenvolvimento histórico e os principais debates acadêmicos sobre eles. Em seguida, vêm listas, com cerca de 30 grandes obras de cada gênero, acompanhadas de dicas sobre como escolher a edição de cada livro e um resumo do conteúdo do livro.

facebook.com/erealizacoeseditora
twitter.com/erealizacoes
instagram.com/erealizacoes
youtube.com/editorae
issuu.com/editora_e
erealizacoes.com.br
atendimento@erealizacoes.com.br